农田水利计算程序

李庆东 著

黄河水利出版社

内容提要

全书共分六章，分别介绍了作物灌溉制度的制定、渠道的横断面设计、有压管道沿程水头损失计算、喷灌试验参数的计算、不透水层有限深时田间排水沟间距的计算、湖泊滞蓄情况下排水闸闸孔宽度确定的计算方法、对象设置、对象安排和源程序代码等内容。

本书可供从事农田水利工程的技术人员参考或借鉴，也可供教学工作者参考。

图书在版编目(CIP)数据

农田水利计算程序 / 李庆东著.—郑州：黄河水利出版社，2006.8
ISBN 7—80734—087—8

Ⅰ.农…　Ⅱ.李…　Ⅲ.①农田水利—水利工程—工程计算程序　Ⅳ.S27

中国版本图书馆 CIP 数据核字 (2006) 第 070350 号

出　版　社：黄河水利出版社
　　　　地址：河南省郑州市金水路 11 号　　邮政编码：450003
发行单位：黄河水利出版社
　　　　发行部电话：0371—66026940　传真：0371—66022620
　　　　E-mail:hhslcbs@126.com
承印单位：黄河水利委员会印刷厂
开本：850 mm×1 168 mm　1/32
印张：5.25
字数：130 千字　　　　　　　　　　印数：1—2 000
版次：2006 年 8 月第 1 版　　　　　印次：2006 年 8 月第 1 次印刷

书号：ISBN 7—80734—087—8 / S·84　　　　定价：12.00 元

前　言

我们在学习编程语言时经常有这样的体会：已经学习了某种程序语言，可真要用它解决某个专业问题，却又觉得无从下手。究其原因，是把所学的知识转化成解决专业问题的能力不够，而在本书中我们就特别强调学以致用、解决实际问题，把"计算机编程"和"农田水利学"紧密结合起来，利用 Visual Basic(中文版)解决农田水利工程中的实际问题，效率高，误差小，不但满足了农田水利工程的实际要求，同时也提高了读者使用现代先进技术解决工程实际问题的能力。

本书共分六章，分别介绍了作物灌溉制度的制定、渠道的横断面设计、有压管道沿程水头损失计算、喷灌试验参数的计算、不透水层有限深时田间排水沟间距的计算、湖泊滞蓄情况下排水闸闸孔宽度确定的计算方法、对象设置、对象安排和源程序代码等内容。

本书结构清晰、图文并茂，每章的最后都有实际工程应用举例，并演示了具体的操作步骤，其实用性、可操作性都很强，读者可依照实例解决有关的农田水利问题。

为了验证 Visual Basic 通用程序的正确性，书中部分引用了有关科研单位、高等院校及设计单位的科研成果，作者在此一并表示感谢！

山西水利职业技术学院副教授、院长解爱国，为本书担任主审，给予了很有价值的指导和帮助，在此深表感谢！同时，还要感谢黄河水利出版社对本书的出版提出的建议和帮助！

由于作者水平所限，不足之处在所难免。敬请各位专家和广大读者批评指正。

作　者

2005 年 8 月

目　录

目 录

第一章　作物灌溉制度的制定

第一节　水稻生育期灌溉制度的制定

一、计算公式

在水稻生育期中，任一时段的农田水量变化情况，取决于该时段内来水量与耗水量的多少，可用下列水量平衡方程式来表示

$$h_1 + P + m - e - S - c = h_2$$

式中　h_1——时段初田面水层深度，mm；

　　　P——时段内降雨量，mm；

　　　m——时段内灌水量，mm；

　　　e——时段内作物需水量，mm；

　　　S——时段内渗漏量，mm；

　　　c——时段内田面排水量，mm；

　　　h_2——时段末田面水层深度，mm。

二、主要标识符说明

jd——水稻生育阶段数；

et——水稻全生育期需水量，mm；

jy——生育期内降雨天数，d；

ri——生育期起始日期；

yu——生育期起始月份；

h——生育期起始水层深度；

s——水田日渗漏量，mm；

a(0，jd–1) —— 各生育阶段的天数，d；

a(1，jd–1) —— 各生育阶段的需水模系数，%；

a(2，jd–1) —— 各生育阶段的雨后允许最大蓄水深度，mm；

a(3，jd–1) —— 各生育阶段的适宜水层上限，mm；

a(4，jd–1) —— 各生育阶段的适宜水层下限，mm；

b(0，jy–1) —— 降雨月份；

b(1，jy–1) —— 降雨日期；

b(2，jy–1) —— 降雨量，mm；

m —— 灌水量，mm；

d —— 排水量，mm。

三、程序说明

本程序根据水稻田间耗水量及生育期的降雨量，逐日进行水量平衡计算，求得需要灌水(排水)的具体日期和每次的灌水量(排水量)。在程序中，时段是以天来计算的。灌溉或排水是根据水稻各生育阶段适宜水层下限、上限和最大蓄水深度决定的，当日末的水层深度有可能低于适宜水层的下限时就灌水，灌水之后的水层深度处于适宜水层的上限和下限之间，下雨时水层深度允许超过适宜水层的上限，但不得超过雨后允许最大蓄水深度，有可能超过时就要排水。

四、对象设置

(一)Form1 对象设置

Form1　　Caption=操作提示

Text1　　text=操作提示

1. 在 d:\下创建一个 sdsj.txt 文本文件，然后打开它；

2. 输入各生育阶段的天数；

3. 输入各生育阶段的需水模系数；

4．输入各生育阶段的雨后允许最大蓄水深度；

5．输入各生育阶段的适宜水层上限；

6．输入各生育阶段的适宜水层下限；

7．输入各次降雨月份；

8．输入各次降雨日期；

9．输入各次降雨量；

10．检查数据无误后保存该文件，然后点击"确定"按钮。

注：每个数据之间用空格隔开。

Command1　　Caption=确定

(二)Form2 对象设置

Form2　　　　　Caption=水稻灌溉制度的制定

Label1　　　　 Caption=水稻灌溉制度的制定

Label2　　　　 Caption=请输入相应的参数，然后点击"开始"
　　　　　　　　 按钮：

Label3　　　　 Caption=生育阶段数：

Label4　　　　 Caption=全生育期需水量(mm)：

Label5　　　　 Caption=降雨天数(d)：

Label6　　　　 Caption=生育期起始月份：

Label7　　　　 Caption=生育期起始日期：

Label8　　　　 Caption=生育期起始水层深度(mm)：

Label9　　　　 Caption=水田日渗漏量(mm)：

Text1　　　　Text=　　'输入生育阶段数

Text2　　　　Text=　　'输入全生育期需水量

Text3　　　　Text=　　'输入降雨天数

Text4　　　　Text=　　'输入生育期起始月份

Text5　　　　Text=　　'输入生育期起始日期

Text6　　　　Text=　　'输入水田日渗漏量

Text7　　　　Text=　　'输入生育期起始水层深度

Command1　　　Caption=开始

Command2　　　Caption=清除

Command3　　　Caption=结束

(三)Form3 对象设置

Form3　　　　　Caption=水稻灌溉制度的制定

Label1　　　　　Caption=点击这里查看水稻的灌溉制度

五、对象安排

Form1、Form2、Form3 对象安排如图 1-1、图 1-2、图 1-3 所示。

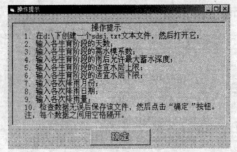

图 1-1　操作提示窗体显示

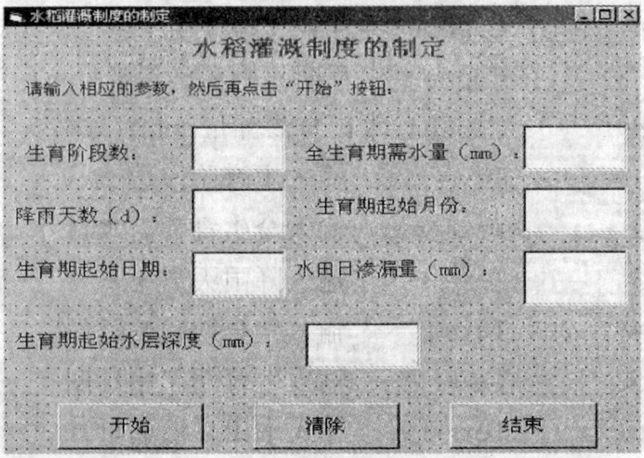

图 1-2　参数输入对象安排

图 1-3　程序运行对象安排

六、程序代码

(一)Form1 程序代码

```
Private Sub Command1_Click()
Unload Form1
Form2.Show
End Sub
```

(二)Form2 程序代码

```
Public jd, et, jy, yu, ri, s, h As Double
Private Sub Command1_Click()
jd = Val(Text1.Text)          ' 全生育阶段数
et = Val(Text2.Text)          ' 全生育期总需水量
jy = Val(Text3.Text)          ' 全生育期内降雨天数
yu = Val(Text4.Text)          ' 生育期起始月份
ri = Val(Text5.Text)          ' 生育期起始日期
s = Val(Text6.Text)           ' 水田日渗漏量
h = Val(Text7.Text)           ' 插秧时田面水层深度
```

```
If (jd < 0 Or et <= 0 Or jy < 0 Or yu <= 0 Or yu > 12 Or ri <= 0
Or ri > 31 Or s < 0 Or h < 0)    Then
Beep
Messag$ = "参数输入错误"
Title$ = "错误"
MsgBox Messag$, 48, Title$
If (jd < 0) Then
    Text1.Text = ""
    Text1.SetFocus
ElseIf (et <= 0) Then
    Text2.Text = ""
    Text2.SetFocus
ElseIf (jy < 0) Then
    Text3.Text = ""
    Text3.SetFocus
ElseIf (yu <= 0) Then
    Text4.Text = ""
    Text4.SetFocus
    ElseIf (yu > 12) Then
    Text4.Text = ""
    Text4.SetFocus
ElseIf (ri <= 0) Then
    Text5.Text = ""
    Text5.SetFocus
ElseIf (ri > 31) Then
    Text5.Text = ""
    Text5.SetFocus
ElseIf (s < 0) Then
```

```
        Text6.Text = ""
        Text6.SetFocus
    ElseIf (h < 0) Then
        Text7.Text = ""
        Text7.SetFocus
    End If
    Exit Sub
End If
Unload Form1
Form3.Show
End Sub


Private Sub Command2_Click()
Text1.Text = ""
Text2.Text = ""
Text3.Text = ""
Text4.Text = ""
Text5.Text = ""
Text6.Text = ""
Text7.Text = ""
Text1.SetFocus
End Sub


Private Sub Command3_Click()
End
End Sub
```

(三)Form3 程序代码

```
Dim a(4, 20), b(2, 150) As Double
```

```
Private Sub label1_Click()
jd = Form2.jd
et = Form2.et
jy = Form2.jy
yu = Form2.yu
ri = Form2.ri
s = Form2.s
h = Form2.h
Open "d:\sdsj.txt" For Input As #1        ' 注意操作提示
For i = 0 To 4
For j = 0 To jd – 1
Input #1, a(i, j)
Next j
Next i
For i = 0 To 2
For j = 0 To jy – 1
Input #1, b(i, j)
Next j
Next i
Close #1
Form3.Cls
ts = 0
hh = h
yuu = yu
For i = 0 To jd – 1
a(1, i) = a(1, i) * et / (a(0, i) * 100) + s
ts = ts + a(0, i)                         ' 计算总天数
Next i
```

```
n = 0
x = 0
k = 0
db = ri
Print Tab(8);"月份";Tab(22);"日期";Tab(36);"灌水量(mm)";
    Tab(60);"排水量(mm)"
Print "※※※※※※※※※※※※※※※※※※※※※※※※
    ※※※※※※"
tt = ri - 1
If yuu = 2 Then
c = -2
GoTo u:
End If
If yuu = 4 Or yuu = 6 Or yuu = 9 Or yuu = 11 Then
c = 0
GoTo u:
End If
If yuu = 1 Or yuu = 3 Or yuu = 5 Or yuu = 7 Or yuu = 8 Or
   yuu = 10 Or yuu = 12 Then
c = 1
GoTo u:
End If
u:
tt = tt + 1
R = tt - x
If R <= 30 + c Then
GoTo uu:
End If
```

```
If R > 30 + c Then
x = x + 30 + c
R = R – 30 – c
yuu = yuu + 1
If yuu > 12 Then yuu = 1
If (yuu = 4 Or yuu = 6 Or yuu = 9 Or yuu = 11) Then
c = 0
GoTo uu:
End If
If (yuu = 1 Or yuu = 3 Or yuu = 5 Or yuu = 7 Or yuu = 8 Or
    yuu = 10 Or yuu = 12) Then
c = 1
GoTo uu:
End If
If (yuu = 2) Then
c = –2
GoTo uu:
End If
End If
uu:
If (n >= jd – 1) Then
Exit Sub
End If
If tt <> db + a(0, n) Then
hh = hh – a(1, n)
Else
db = db + a(0, n)
n = n + 1
```

```
hh = hh – a(1, n)
End If
If (k > jy – 1) Then
hh = hh
ElseIf k <= jy – 1 And yuu = b(0, k) And R = b(1, k) Then
hh = hh + b(2, k)
k = k + 1
End If
If tt <= ri + 3 Then                  ' 插秧后 3 天不灌水
m = 0
hh = hh + m
ElseIf tt >= ts + ri – 9 Then         ' 最后 9 天不灌水
m = 0
hh = hh + m
ElseIf hh <= a(4, n) Then
m = Int((a(3, n) – hh) / 5) * 5
hh = hh + m
Print Tab(8); yuu; Tab(22); R; Tab(38); m
End If
If hh > a(2, n) Then
d = hh – a(2, n)
hh = a(2, n)
d = Format$(d, "###")
Print Tab(8); yuu; Tab(22); R; Tab(64); d
End If
For i = 0 To jd – 1
ts = ts + a(0, i)
Next i
```

```
If tt < ts + ri − 1 Then
GoTo u:
End If
End Sub
```

七、应用实例

【例 1-1】　制定某灌区双季早稻的灌溉制度。

1. 基本资料

(1)生育期降雨量见表 1-1。

表 1-1　生育期降雨量

降雨月份	降雨日期	降雨量 (mm)	降雨月份	降雨日期	降雨量 (mm)
4	27	1.0	5	31	8.5
4	28	23.5	6	3	2.2
4	29	9.3	6	4	11.2
5	4	3.3	6	5	23.4
5	5	4.0	6	10	9.0
5	6	4.4	6	12	0.7
5	8	2.7	6	16	1.0
5	9	7.6	6	17	20.1
5	14	20.9	6	18	51.6
5	15	1.8	6	25	26.3
5	20	8.4	6	26	2.2
5	23	2.5	6	29	3.2
5	24	2.3	7	7	8.4

(2)各生育阶段的天数，需水模系数，适宜水层的上限、下限及最大蓄水深度见表 1-2。

表 1-2 各生育阶段的天数，需水模系数，适宜水层上限、下限及
最大蓄水深度

生育阶段	生育阶段天数(d)	需水模系数(%)	适宜水层下限(mm)	适宜水层上限(mm)	最大蓄水深度(mm)
返青	8	4.8	5	30	50
分蘖前	8	9.9	20	50	70
分蘖末	19	24.0	20	50	80
拔节孕穗	16	26.6	30	60	90
抽穗开花	13	22.4	10	30	80
乳熟	11	7.1	10	30	60
黄熟	8	5.2	10	20	20

(3)全生育期需水量为 435 mm，生育期起始日期为 25 日，起始月份为 4 月，生育期内降雨天数为 26 d，起始水层深度为 20 mm，日平均渗漏量为 1.5 mm。

2. 运行结果

程序开始运行，出现如图 1-1 所示的操作提示。

按照操作提示，在 d:\创建一个 sdsj.txt 的文本文件，打开它并输入数据，如图 1-4 所示。

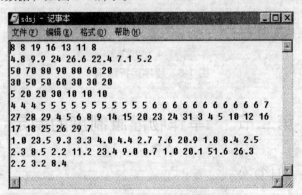

图 1-4 创建文本文件时的界面

关闭 sdsj.txt 后，输入相应参数时的界面如图 1-5 所示。

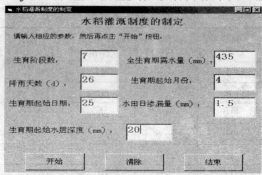

图 1-5　输入相应参数时的界面

点击"开始"按钮，界面如图 1-6 所示。

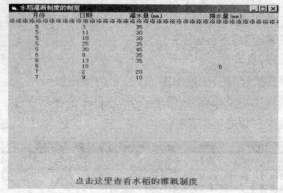

图 1-6　程序运行结果

第二节　　旱作物灌溉制度的制定

一、计算公式

$$W_0 + W_T + P_0 + k + M - E = W_t$$

式中　W_0——时段初计划湿润层的的土壤含水量；

　　　W_T——由于计划湿润层增加而增加的水量；

　　　P_0——时段内保存在计划湿润层内的有效雨量；

　　　k——时段内地下水补给量；

　　　M——时段内灌水量；

　　　E——时段内作物需水量；

　　　W_t——时段末计划湿润层的土壤含水量。

二、主要标识符说明

jd——生育阶段数；

et——全生育期需水量，mm；

jy——生育期内降雨天数，d；

ri——生育期起始日期；

yu——生育期起始月份；

w1——作物适宜含水率上限(体积%)；

w2——作物适宜含水率下限(体积%)；

ws——计划湿润层增加部分的土层含水率(体积%)；

w0——播种时土层含水量，$m^3/$亩；

a(0，jd)——起始及各生育阶段的天数，d；

a(1，jd)——起始及各生育阶段的需水模系数，(%)；

a(2，jd)——起始及各生育阶段末计划湿润土层的厚度，mm；

a(3，jd)——起始及各生育阶段地下水利用量占该阶段需水
　　　　　　量的百分数(%)；

b(0，jy-1)——降雨月份；

b(1，jy-1)——降雨日期；

b(2，jy-1)——降雨时相应的日入渗雨量，mm；

m——灌水量，$m^3/$亩；

d——排水量，$m^3/$亩。

三、程序说明

本程序和水稻灌溉制度的确定基本相似，最主要的区别在于数组的输入方法。水稻灌溉制度程序中，a、b 数组是通过读取顺序文件获得的，而本程序的数组却是在运行过程中，通过 Inputbox 输入对话框输入的。前者编程轻松，便于检查和更改数据；后者在数据较多时，容易出现输入错误且无法改正，可见第一节所提供的数据输入方法优于本程序。在这里只是作为一种编程方法介绍给读者，显然，本程序的数据输入也能用第一节所提供的方法。

四、对象设置

Form1	Caption=旱作物灌溉制度的制定
Label1	Caption=旱作物灌溉制度的制定
Label2	Caption=请输入相应的参数，然后点击"开始"按钮
Label3	Caption=生育阶段：
Label4	Caption=全生育期需水量(m^3/亩)：
Label5	Caption=降雨天数(d)：
Label6	Caption=生育期起始月份：
Label7	Caption=生育期起始日期：
Label8	Caption=作物适宜含水率上限(体积%)：
Label9	Caption=作物适宜含水率下限(体积%)：
Label10	Caption=计划湿润层增加部分的土层含水率(体积%)：
Label11	Caption=播种时土层含水量(m^3/亩)：
Text1	Text=　　'输入生育阶段数
Text2	Text=　　'输入全生育期需水量
Text3	Text=　　'输入降雨天数

Text4	Text=	' 输入生育期起始月份
Text5	Text=	' 输入生育期起始日期
Text6	Text=	' 作物适宜含水率上限
Text7	Text=	' 作物适宜含水率下限
Text8	Text=	' 计划湿润层增加部分的土层含水率
Text9	Text=	' 播种时土层含水率
Command1	Caption=开始	
Command2	Caption=清除	
Command3	Caption=结束	
Form2	Caption=旱作物灌溉制度的确定	
Label1	Caption=点击这里输入相应的参数，然后点击 "确定" 按钮：	
Command1	Caption=确定	

五、对象安排

Form1、Form2 对象安排如图 1-7、图 1-8 所示。

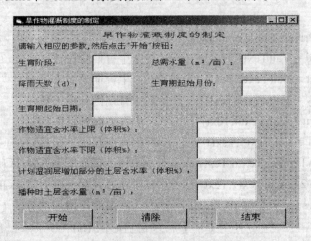

图 1-7 参数输入对象安排

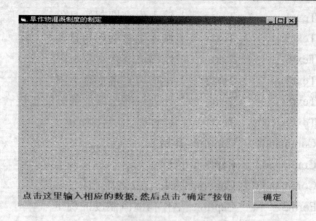

图 1-8　程序运行对象安排

六、程序代码

(一)Form1 程序代码

Public jd, et, jy, yu, ri, w1, w2, ws, w0 As Double

```
Private Sub Command1_Click()
jd = Val(Text1.Text)          ' 全生育期阶段数
et = Val(Text2.Text)          ' 全生育期总需水量
jy = Val(Text3.Text)          ' 生育期内降雨天数
yu = Val(Text4.Text)          ' 生育期起始月份
ri = Val(Text5.Text)          ' 生育期起始日期
w1 = Val(Text6.Text)          ' 作物适宜含水率上限(体积%)
w2 = Val(Text7.Text)          ' 作物适宜含水率上限(体积%)
ws = Val(Text8.Text)          ' 计划湿润层增加部分的土层含
                                水率(体积%)
w0 = Val(Text9.Text)          ' 播种时土层含水量(m³/亩)
```

```
If (jd < 0 Or et <= 0 Or jy < 0 Or yu <= 0 Or yu > 12 Or ri <= 0
Or ri > 31 Or w1 <= 0 Or w2 <= 0 Or ws <= 0 Or w0 <= 0)
Then
        Beep
        Messag$ = "参数输入错误"
        Title$ = "错误"
        MsgBox Messag$, 48, Title$
        If (jd < 0) Then
            Text1.Text = ""
            Text1.SetFocus
        ElseIf (et <= 0) Then
            Text2.Text = ""
            Text2.SetFocus
        ElseIf (jy < 0) Then
            Text3.Text = ""
            Text3.SetFocus
        ElseIf (yu <= 0) Then
            Text4.Text = ""
            Text4.SetFocus
        ElseIf (yu > 12) Then
            Text4.Text = ""
            Text4.SetFocus
        ElseIf (ri <= 0) Then
            Text5.Text = ""
            Text5.SetFocus
        ElseIf (ri > 31) Then
            Text5.Text = " "
            Text5.SetFocus
```

```
        ElseIf (w1 <= 0) Then
            Text6.Text = ""
            Text6.SetFocus
        ElseIf (w2 <= 0) Then
            Text7.Text = ""
            Text7.SetFocus
        ElseIf (ws <= 0) Then
            Text8.Text = ""
            Text8.SetFocus
        ElseIf (w0 <= 0) Then
            Text9.Text = ""
            Text9.SetFocus
        End If
        Exit sub
    End If
Unload Form1
Form2.Show
End Sub

Private Sub Command2_Click()
Text1.Text = ""
Text2.Text = ""
Text3.Text = ""
Text4.Text = ""
Text5.Text = ""
Text6.Text = ""
Text7.Text = ""
Text8.Text = ""
```

```
Text9.Text = ""
Text1.SetFocus
End Sub

Private Sub Command3_Click()
End
End Sub
```

(二)Form2 程序代码

```
Dim a(5, 10), b(2, 150) As Double
Private Sub Command1_Click()
Form2.Cls
jd = Form1.jd
et = Form1.et
jy = Form1.jy
yu = Form1.yu
ri = Form1.ri
w1 = Form1.w1
w2 = Form1.w2
ws = Form1.ws
w0 = Form1.w0
ts = 0
w = w0
yuu = yu
For i = 1 To jd
a(1, i) = (100 - a(3, i)) * a(1, i) * et / (a(0, i) * 10000)
a(4, i) = a(2, i) * w1 / 150
a(5, i) = a(2, i) * w2 / 150
ts = ts + a(0, i)
```

```
Next i
n = 1
a(2, 0) = a(2, 1)
a(5, 0) = a(5, 1)
a(4, 0) = a(4, 1)
x = 0
k = 0
db = ri
Print  Tab(8); "月份"; Tab(22); "日期"; Tab(36); "灌水量(m³/
       亩)"; Tab(60); " 排水量(m³/亩)"
Print "※※※※※※※※※※※※※※※※※※※※※※※※
       ※※※※※※※※※※"
tt = ri − 1
If yuu = 2 Then
c = −2
GoTo u:
End If
If yuu = 4 Or yuu = 6 Or yuu = 9 Or yuu = 11 Then
c = 0
GoTo u:
End If
If yuu = 1 Or yuu = 3 Or yuu = 5 Or yuu = 7 Or yuu = 8 Or
   yuu = 10 Or yuu = 12 Then
c = 1
GoTo u:
End If
u:
tt = tt + 1
```

```
r = tt – x
If r <= 30 + c Then
GoTo uu:
End If
If r > 30 + c Then
x = x + 30 + c
r = r – 30 – c
yuu = yuu + 1
If yuu > 12 Then yuu = 1
If (yuu = 4 Or yuu = 6 Or yuu = 9 Or yuu = 11) Then
c = 0
GoTo uu:
End If
If (yuu = 1 Or yuu = 3 Or yuu = 5 Or yuu = 7 Or yuu = 8 Or
    yuu = 10 Or yuu = 12) Then
c = 1
GoTo uu:
End If
If (yuu = 2) Then
c = –2
GoTo uu:
End If
End If
uu:
If (n >= jd) Then
Exit Sub
End If
ww = (a(2, n) – a(2, n – 1)) * ws / (150 * a(0, n))
```

```
If tt <> db + a(0, n) Then
w = w − a(1, n) + ww
Else
db = db + a(0, n)
n = n + 1
w = w − a(1, n) + ww
End If
If (k > jy − 1) Then
w = w
ElseIf k <= jy − 1 And yuu = b(0, k) And r = b(1, k) Then
w = w + b(2, k) / 1.5
k = k + 1
End If
If tt <= ri + 3 Then
m = 0
w = w + m
ElseIf tt >= ts + ri − 8 Then
m = 0
w = w + m
ElseIf w <= a(5, n − 1) + ((a(5, n) − a(5, n − 1)) * (tt − db + 1)) /
      a(0, n) Then
m = Int((a(4, n − 1) + (a(4, n) − a(4, n − 1)) * (tt−db + 1) / a(0, n)
      − w) / 5) * 5
w = w + m
Print Tab(8); yuu; Tab(22); R; Tab(38); m
End If
If w > a(4, n − 1) + (a(4, n) − a(4, n − 1)) * (tt − db + 1) / a(0, n)
   Then
```

```
d = w – a(4, n–1) – (a(4, n) – a(4, n – 1)) * (tt – db + 1) / a(0, n)
w = a(4, n – 1) + (a(4, n) – a(4, n – 1)) * (tt – db + 1) / a(0, n)
d = Format$(d, "###")
Print Tab(8); yuu; Tab(22); R; Tab(64); d
End If
For i = 1 To jd
ts = ts + a(0, i)
Next i
If tt < ts + ri – 1 Then
GoTo u:
End If
End Sub


Sub widthcheck1()
If TextWidth(a(i, j)) + CurrentX >= ScaleWidth – 1000 Then
Print
End If
End Sub
Sub widthcheck2()
If TextWidth(b(i, j)) + CurrentX >= ScaleWidth – 1000 Then
Print
End If
End Sub
Private Sub Label1_Click()
jd = Form1.jd
jy = Form1.jy
For j = 1 To jd
a(0, j) = InputBox("输入各生育阶段的天数")
```

```
widthcheck1
Print Spc(2); a(0, j);
Next j
For j = 1 To jd
a(1, j) = InputBox("输入各生育阶段的需水模系数")
widthcheck1
Print Spc(2); a(1, j);
Next j
For j = 1 To jd
a(2, j) = InputBox("输入各生育阶段计划湿润层深度")
widthcheck1
Print Spc(2); a(2, j);
Next j
For j = 1 To jd
a(3, j) = InputBox("输入各生育阶段地下水利用系数")
widthcheck1
Print Spc(2); a(3, j);
Next j
For j = 0 To jy - 1
b(0, j) = InputBox("输入各次降雨月份")
widthcheck2
Print Spc(2); b(0, j);
Next j
For j = 0 To jy - 1
b(1, j) = InputBox("输入各次降雨日期")
widthcheck2
Print Spc(2); b(1, j);
Next j
```

```
For j = 0 To jy – 1
b(2, j) = InputBox("输入各次降雨相应的日入渗量(mm)")
widthcheck2
Print Spc(2); b(2, j);
Next j
x = MsgBox("数据输入完毕!", 48, "操作提示")
End Sub
```

七、应用实例

【例 1-2】　制定某灌区旱作物的灌溉制度。

1. 基本资料

(1)生育期降雨量见表 1-3。

表 1-3　生育期降雨量

降雨月份	降雨日期	降雨量 (mm)	降雨月份	降雨日期	降雨量 (mm)
6	15	46.7	8	18	20.7
6	24	11.4	8	27	14.6
6	29	11.8	8	28	1.2
7	2	8.9	8	30	5.4
7	3	9.1	9	5	5
7	24	7.3	9	8	9.2
8	13	27.1			

(2)各生育阶段的天数、需水模系数、时段末土层厚及地下水利用量见表 1-4。

(3)全生育期需水量为 260 m^3/亩，生育期起始日期为 15 日，起始月份为 6 月，生育期内降雨天数为 13 d，播种时土层含水率为 80 m^3/亩，作物适宜含水率上限(体积%)为 32.4，作物适宜含水率下限(体积%)为 19.44，计划湿润层增加部分的土层含水率(体积%)为 32.4。

表 1-4   各生育阶段的天数、需水模系数、时段末土层厚及地下水利用量

生育阶段	生育阶段天数(d)	需水模系数(%)	时段末土层厚(mm)	地下水利用量(%)
苗期	23	20.2	400	0
拔节	20	30	500	0
抽穗	22	22	600	0
灌浆	25	20.5	700	0
成熟	10	7.3	700	0

2. 运行结果

输入相应的参数时的界面，如图 1-9 所示。

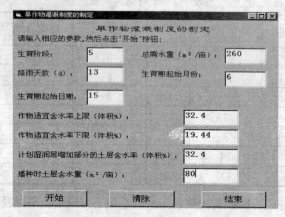

图 1-9   输入相应参数时的界面

输入完相应参数点击"开始"后的界面，如图 1-10 所示。

点击"点击这里输入相应的数据……"标签后，按照提示输入相应数据，界面如图 1-11 所示。

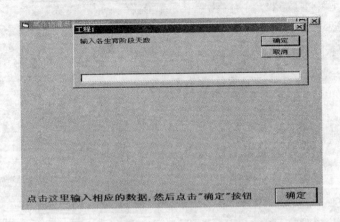

图 1-10 按照提示输入数据

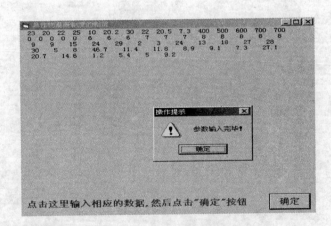

图 1-11 数据输入结束

点击图 1-11 右下角的"确定"按钮，输出计算结果，如图 1-12 所示。

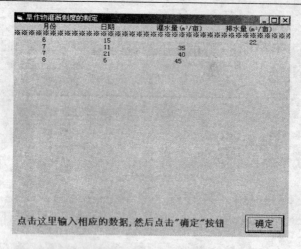

图 1-12　程序运行结果

第二章 渠道的横断面设计

第一节 梯形不冲不淤断面

一、计算公式

从多沙河流上引水，渠道水流的含沙量各个时期各不相同，一般枯水期小，洪水期大，由于水流的挟沙能力与含沙量之间的矛盾，常使渠道产生冲刷或淤积，影响渠道正常运行。若水流含沙量最小时的不冲流速大于含沙量最大时的不淤流速，只需将渠道的设计流速控制在不冲流速与不淤流速之间，即可满足断面稳定的要求，各地具体条件不同，稳定断面的形式也不同。在西北黄土高原地区，断面稳定时，水力要素之间有如下关系

$$b=1.4Q^{1/2} \qquad \omega=1.5Q^{5/6}$$

式中　b——渠道底宽，m；

ω——渠道过水断面面积，m²；

Q——渠道的设计流量，m³/s。

二、主要标识符说明

Q——渠道的设计流量，m³/s；

ω——渠道过水断面面积，m²；

b——渠道底宽，m；

h——渠道的正常水深，m；

i——渠道的比降。

三、程序说明

本程序用于西北黄土高原地区梯形不冲不淤断面设计，在已知渠道的设计流量、糙率、边坡系数的条件下计算渠道过水断面面积、底宽、正常水深和比降。

四、对象设置

Form1	Caption=不冲不淤断面
Label1	Caption=西北黄土高原地区梯形不冲不淤断面设计
Label2	Caption=在框中输入相应的参数，然后点击"确定"按钮：
Label3	Caption=流量(m³/s)：
Label4	Caption=边坡系数：
Label5	Caption=糙率：
Label6	Caption=过水断面面积(m²)：
Label7	Caption=底宽(m)：
Label8	Caption=正常水深(m)：
Label9	Caption=渠道比降：1/
Text1	Text= ' 输入流量值
Text2	Text= ' 输入边坡系数
Text3	Text= ' 输入糙率
Text4	Text= ' 输出过水断面面积
Text5	Text= ' 输出底宽
Text6	Text= ' 输出正常水深
Text7	Text= ' 输出渠道比降
Command1	Caption=确定
Command2	Caption=清除

Command3　　Caption=结束

五、对象安排

Form1 对象安排如图 2-1 所示。

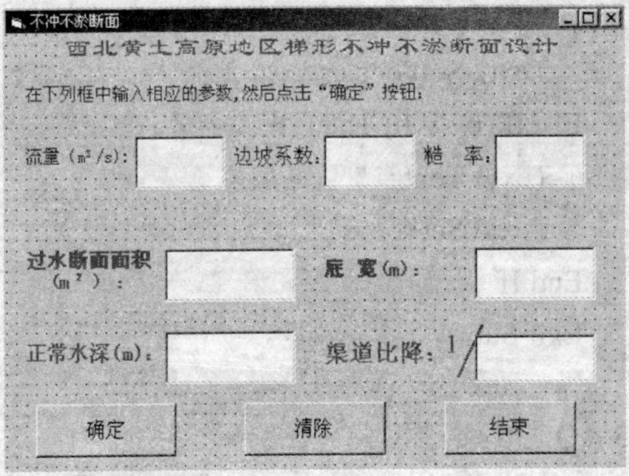

图 2-1　不冲不淤断面设计对象安排

六、程序代码

```
Dim Q, ω, b, h, m, n As Double
Private Sub Command1_Click()
Q = Val(Text1.Text)
m = Val(Text2.Text)
n = Val(Text3.Text)
If (Q < 0 Or m <= 0 Or n <= 0) Then
        Beep
        Messag$ = "参数输入错误"
        Title$ = "错误"
        MsgBox Messag$, 48, Title$
```

```
            If (Q < 0) Then
                Text1.Text = ""
                Text1.SetFocus
            ElseIf (m <= 0) Then
                Text2.Text = ""
                Text2.SetFocus
            ElseIf (n <= 0) Then
                Text3.Text = ""
                Text3.SetFocus
            End If
            Exit Sub
    End If
    ω = 1.5 * Q ^ (5 / 6)
    Text4.Text = Format$(ω, "###.###")
    b = 1.4 * Q ^ (1 / 2)
    Text5.Text = Format$(b, "###.###")
    h = (Sqr(b * b + 4 * m * ω) - b) / (2 * m)
    Text6.Text = Format$(h, "###.###")
    y = b + 2 * h * (Sqr(1 + m ^ 2))
    r = ω / y
    ii = (n * n * Q * Q) / (ω * ω * r ^ (4 / 3))
    i = Format$(ii, "###.#######")
    ppp = 1 / i
    If ppp >= 10000 Then
    pp = ppp / 1000
    p = Int(pp + 0.5) * 1000
    ElseIf ppp >= 1000 Then
    pp = ppp / 100
```

```
p = Int(pp + 0.5) * 100
ElseIf ppp >= 100 Then
pp = ppp / 100
p = Int(pp + 0.5) * 100
ElseIf ppp >= 10 Then
pp = ppp / 10
p = Int(pp + 0.5) * 10
ElseIf ppp >= 1 Then
pp = ppp
p = Int(pp + 0.5)
End If
Text7.Text = p
End Sub


Private Sub Command2_Click()
Text1.Text = ""
Text2.Text = ""
Text3.Text = ""
Text4.Text = ""
Text5.Text = ""
Text6.Text = ""
Text7.Text = ""
Text1.SetFocus
End Sub


Private Sub Command3_Click()
End
End Sub
```

七、应用举例

【例 2-1】试设计西北黄土高原地区某梯形渠道的不冲不淤断面。

1. 基本资料

设计流量 $Q=2.5 \text{ m}^3/\text{s}$，糙率 $n=0.025$，边坡系数 $m=1.5$。

2. 运行结果

运行结果如图 2-2。

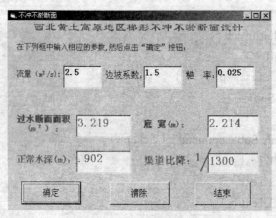

图 2-2　程序运行结果

第二节　梯形实用经济断面

一、计算公式

梯形渠道在进行横断面设计时，采用水力最优断面的主要目的是为了使断面工程量最小，但是对于大、中型渠道来说，由于水力最优断面相对窄深，开挖深度大，劳动效率低；边坡稳定性差，维修管理困难；流速大，可能引起冲刷；也不便于综合利用。可见，水力最优断面仅仅是指输水能力最大或工程量最小而言，并不一定是最经济的断面。为此，提出了梯形实用经济断面，它是一种比较宽浅的断面，与水力最优断面相比，它的过水断面面积不会增加太多，仍保持水力最优断面工程量最小的优点，另一方面它的水深和底宽又具有较大的选择范围，克服了水力最优断面的缺点。梯形实用经济断面和水力最优断面之间的关系为

$$\left(\frac{h_{经}}{h_{优}}\right)^2 - 2a^{2.5}\left(\frac{h_{经}}{h_{优}}\right) + a = 0$$

$$\beta = \frac{b_{经}}{h_{经}} = \frac{a}{\left(h_{经}\Big/h_{优}\right)^2}\left(2\sqrt{1+m^2} - m\right) - m$$

式中　a——偏离系数，一般采用 1.00~1.04；

　　　β——实用经济断面宽深比。

梯形水力最优断面水深计算公式

$$h_{优} = 1.189\left[\frac{nQ}{\left(2\sqrt{1+m^2} - m\right)\sqrt{i}}\right]^{3/8}$$

二、主要标识符说明

Q——渠道的设计流量，m^3/s；

i——渠道比降；

n——渠床糙率；

m——渠道的边坡系数；

a——偏离系数；

bc——渠道的不冲流速，m/s；

by——渠道的不淤流速，m/s；

hy——水力最优断面水深，m；

hj——实用经济断面水深，m；

bj——实用经济断面底宽，m；

bz——经济断面水深与水力最优断面水深的比值；

bt——实用经济断面宽深比。

三、程序说明

本程序在已知设计流量、边坡系数、糙率和比降的条件下，先根据梯形水力最优断面水深计算公式算出水力最优断面的水深，然后根据选定的偏离系数计算实用经济断面宽深比，最终求出实用经济断面的水深和底宽。

四、对象设置

Form1　　　　　　Caption=梯形实用经济断面

Label1　　　　　　Caption=梯形实用经济断面设计

Label2　　　　　　Caption=请输入相应的参数，然后点击"确定"
　　　　　　　　　　按钮：

Label3　　　　　　Caption=渠道流量(m^3/s)：

Label4　　　　　　Caption=渠道比降：

Label5　　　　　　Caption=渠床糙率：

Label6　　　　　　Caption=边坡系数：

Label7　　　　　　Caption=偏离系数：

Label8　　　　　　Caption=不冲流速(m/s)：

Label9　　　　　　Caption=不淤流速(m/s)：

Label10　　　　　Caption=实用经济断面水深(m)：

Label11　　　　　Caption=实用经济断面底宽(m)：

Text1	Text=	' 输入流量值
Text2	Text=	' 输入渠道比降
Text3	Text=	' 输入糙率
Text4	Text=	' 输入边坡系数
Text5	Text=	' 输入偏离系数
Text6	Text=	' 输入不冲流速
Text7	Text=	' 输入不淤流速
Text8	Text=	' 输出实用经济断面水深
Text9	Text=	' 输出实用经济断面底宽
Command1	Caption=确定	
Command2	Caption=清除	
Command3	Caption=结束	

五、对象安排

Form1 对象安排如图 2-3 所示。

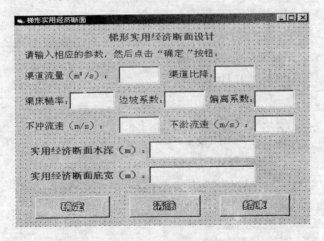

图 2-3　梯形实用经济断面设计对象安排

六、程序代码

```
Dim Q, i, n, m, a, bc, by As Double
Private Sub Command1_Click()
Q = Val(Text1.Text)
i = Val(Text2.Text)
n = Val(Text3.Text)
m = Val(Text4.Text)
a = Val(Text5.Text)        '  偏离系数
bc = Val(Text6.Text)
by = Val(Text7.Text)
If (Q <= 0 Or i <= 0 Or n <= 0 Or m <= 0 Or a <> 1# And a <>
    1.01 And a <> 1.02 And a <> 1.03 And a <> 1.04 or bc <=
    0.3 or by < 0.3) Then
    Beep
    Messag$ = "参数输入错误"
    Title$ = "错误"
    MsgBox Messag$, 48, Title$
    If (Q <= 0) Then
        Text1.Text = ""
        Text1.SetFocus
    ElseIf (i <= 0) Then
        Text2.Text = ""
        Text2.SetFocus
    ElseIf (n <= 0) Then
        Text3.Text = ""
        Text3.SetFocus
    ElseIf (m <= 0) Then
```

```
        Text4.Text = ""
        Text4.SetFocus
    ElseIf (a <> 1# And a <> 1.01 And a <> 1.02 And a <> 1.03
        And a <> 1.04) Then
    Beep
    Messag$ = "请在 1.00、1.01、1.02、1.03、1.04 中选择"
    Title$ = "参数输入错误"
    MsgBox Messag$, 48, Title$
        Text5.Text = ""
        Text5.SetFocus
    ElseIf (bc <= 0.3) Then
    Text6.Text = ""
    Text6.SetFocus
    ElseIf (by < 0.3) Then
    Text7.Text = ""
    Text7.SetFocus
        End If
    Exit Sub
End If
fz = n * Q
fm = (2 * Sqr(1 + m ^ 2) - m) * Sqr(i)
hy = 1.189 * ((fz / fm) ^ (3 / 8))
bz = a ^ 2.5 - Sqr(a ^ 5 - a)
bt = a * (2 * Sqr(1 + m ^ 2) - m) / bz ^ 2 - m
hj = bz * hy
bj = bt * hj
w = (bj + m * hj) * hj
x = bj + 2 * hj * (Sqr(1 + m * m))
```

```
r = w / x
c = (r ^ (1 / 6)) / n
qq = w * c * (Sqr(r * i))
c = qq - Q
cz = c / Q
cj = Abs(cz)
If cj > 0.05 Then
        Beep
        Messag$ = "流量校核超出允许误差范围，请重新
                输入参数"
        Title$ = "错误"
        MsgBox Messag$, 48, Title$
        Text2.Text = ""
        Text3.Text = ""
        Text4.Text = ""
        Text5.Text = ""
        Text6.Text = ""
        Text7.Text = ""
        Text8.Text = ""
        Text9.Text = ""
        Text2.SetFocus
        Exit Sub
End If
v = qq / w
If v >= bc Then
        Beep
        Messag$ = "设计流速大于等于不冲流速，请重新
                输入参数"
```

```
        Title$ = "错误"
        MsgBox Messag$, 48, Title$
        Text2.Text = ""
        Text3.Text = ""
        Text4.Text = ""
        Text5.Text = ""
        Text6.Text = ""
        Text7.Text = ""
        Text8.Text = ""
        Text9.Text = ""
        Text2.SetFocus
        Exit Sub
    ElseIf v <= by Then
        Beep
        Messag$ = "设计流速小于等于不淤流速，请重新
                输入参数"
        Title$ = "错误"
        MsgBox Messag$, 48, Title$
        Text2.Text = ""
        Text3.Text = ""
        Text4.Text = ""
        Text5.Text = ""
        Text6.Text = ""
        Text7.Text = ""
        Text8.Text = ""
        Text9.Text = ""
        Text2.SetFocus
        Exit Sub
```

```
End If
Text8.Text = Format$(hj, "###.##")
Text9.Text = Format$(bj, "###.##")
End Sub


Private Sub Command2_Click()
Text1.Text = ""
Text2.Text = ""
Text3.Text = ""
Text4.Text = ""
Text5.Text = ""
Text6.Text = ""
Text7.Text = ""
Text8.Text = ""
Text9.Text = ""
Text1.SetFocus
End Sub


Private Sub Command3_Click()
End
End Sub
```

七、应用举例

【例 2-2】试设计某梯形渠道的实用经济断面。

1. 基本资料

设计流量 Q=3.2 m³/s，边坡系数 m=1.5，渠道比降 i=0.000 5，渠床糙率 n=0.025，不冲流速为 0.8 m/s，不淤流速为 0.4 m/s。

2.运行结果

运行结果如图 2-4 所示。

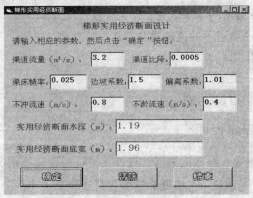

图 2-4　程序运行结果

第三节　一般梯形渠道断面

一、计算公式

试算法是计算梯形断面水力要素的基本方法，计算的主要任务是确定底宽 b 和水深 h。渠道一般按明渠均匀流进行水力计算，基本公式是

$$Q = AC\sqrt{Ri}$$

式中　Q——渠道设计流量，m^3/s；

A——过水断面面积，m^2；

C——谢才系数，$m^{0.5}/s$；

R——水力半径，m；

i——渠道比降。

二、主要标识符说明

by——渠道的不淤流速；

bcx——渠道不冲流速系数；

b——渠道底宽；

ksb——渠道宽深比；

q——渠道设计流量。

三、程序说明

渠道流量 q 推算出来后，设计人员可根据具体情况选择渠道比降 i、渠床糙率 n、边坡系数 m，自定底宽 b 和宽深比，输入这些基本参数后进行计算。首先程序根据这些参数计算一个渠道设计流量 qq，并与设计人员提供的 q 值相比较，如果(qq-q)的绝对值与 q 的比值小于等于 5%，暂时认为假定合理，程序接下来会进行设计流速的校核，如果流速满足小于不冲流速大于不淤流速的要求，程序输出最终结果。否则，不管是流量校核还是流速校核，其中一项不能满足要求，程序就会弹出提示对话框，设计人员可根据提示调整参数重新进行计算。

四、对象设置

Form1	Caption=一般梯形断面
Label1	Caption=一般梯形断面设计
Label2	Caption=在下列框中输入相应的参数，然后点击"开始"按钮:
Label3	Caption=渠床糙率:
Label4	Caption=边坡系数:
Label5	Caption=渠道比降:
Label6	Caption=不淤流速(m/s):

Label7	Caption=不冲流速系数：
Label8	Caption=假定底宽(m)：
Label9	Caption=选择宽深比：
Label10	Caption=流量(m^3/s)：
Text1	Text=　　' 输入糙率
Text2	Text=　　' 输入边坡系数
Text3	Text=　　' 输入比降
Text4	Text=　　' 输入不淤流速
Text5	Text=　　' 输入不冲流速系数
Text6	Text=　　' 输入假定的底宽数
Text7	Text=　　' 输入选择的宽深比
Text8	Text=　　' 输入流量值
Command1	Caption=确定
Command2	Caption=清除
Command3	Caption=结束
Form2	Caption=一般梯形断面
Label1	Caption=输出结果
Label2	Caption=底宽(m)：
Label3	Caption=正常水深(m)：
Label4	Caption=设计流速(m/s)：
Label5	Caption=过水断面面积(m^2)：
Text1	Text=　　' 输出底宽值
Text2	Text=　　' 输出正常水深
Text3	Text=　　' 输出设计流速
Text4	Text=　　' 输出过水断面面积
Command1	Caption=输出
Command2	Caption=返回

五、对象安排

Form1 对象安排如图 2-5 所示，Form2 对象安排如图 2-6 所示。

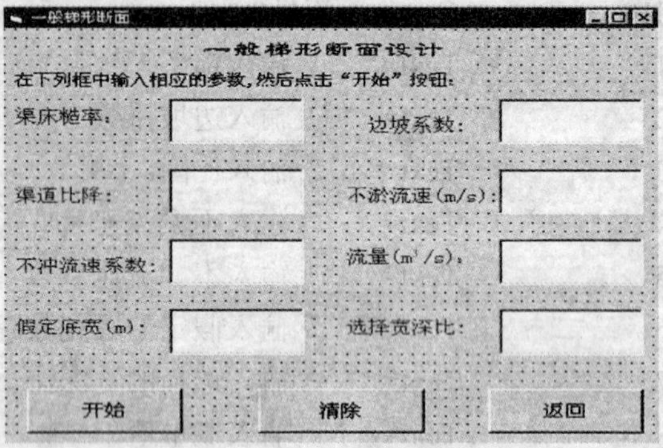

图 2-5 一般梯形断面设计对象安排

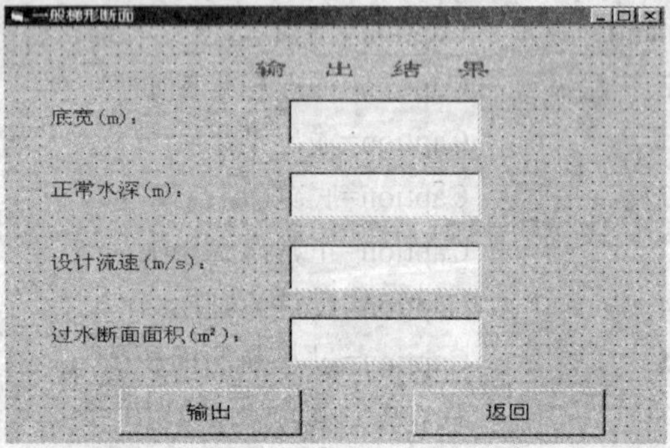

图 2-6 输出结果时的对象安排

六、程序代码

(一)Form1 程序代码

```
Public n, m, i, by, bcx, b, ksb, q As Double
```

```
Private Sub Command1_Click()
n = Val(Text1.Text)
m = Val(Text2.Text)
i = Val(Text3.Text)
by = Val(Text4.Text)
bcx = Val(Text5.Text)
b = Val(Text6.Text)
ksb = Val(Text7.Text)
q = Val(Text8.Text)
If (n < 0 Or m < 0 Or i <= 0 Or by < 0.3 Or bcx <= 0 Or b <= 0
    Or ksb <= 0 Or q < 0) Then
            Beep
            Messag$ = "参数输入错误"
            Title$ = "错误"
            MsgBox Messag$, 48, Title$
            If (n < 0) Then
                Text1.Text = ""
                Text1.SetFocus
            ElseIf (m < 0) Then
                Text2.Text = ""
                Text2.SetFocus
            ElseIf (i <= 0) Then
                Text3.Text = ""
                Text3.SetFocus
            ElseIf (by < 0.3) Then
                Text4.Text = ""
                Text4.SetFocus
            ElseIf (bcx <= 0) Then
```

```
                Text5.Text = ""
                Text5.SetFocus
            ElseIf (b <= 0) Then
                Text6.Text = ""
                Text6.SetFocus
            ElseIf (ksb <= 0) Then
                Text7.Text = ""
                Text7.SetFocus
            ElseIf (q < 0) Then
                Text8.Text = ""
                Text8.SetFocus
            End If
            Exit sub
    End If
    Unload Form1
    Form2.Show
End Sub


Private Sub Command2_Click()
Text1.Text = ""
Text2.Text = ""
Text3.Text = ""
Text4.Text = ""
Text5.Text = ""
Text6.Text = ""
Text7.Text = ""
Text8.Text = ""
Form1.Text1.SetFocus
```

```
End Sub

Private Sub Command3_Click()
End
End Sub
```

(二)Form2 程序代码

```
Private Sub Command2_Click()
Unload Form2
Form1.Show
Form1.Text1.SetFocus
End Sub

Private Sub Command1_Click()
n = Form1.n
m = Form1.m
i = Form1.i
by = Form1.by
bcx = Form1.bcx
b = Form1.b
ksb = Form1.ksb
q = Form1.q
h = b / ksb
w = (b + m * h) * h
Text2.Text = Format$(h, "###.##")
Text1.Text = Form1.b
x = b + 2 * h * (Sqr(1 + m * m))
r = w / x
```

```
c = (r ^ (1 / 6)) / n
qq = w * c * (Sqr(r * i))
c = qq − q
cz = c / q
cj = Abs(cz)
If cj > 0.05 Then
Unload Form2
Form1.Show
        Beep
        Messag$ = "流量校核超出允许误差范围，请重
                新输入参数"
        Title$ = "错误"
        MsgBox Messag$, 48, Title$
        Exit Sub
        End If
v = qq / w
bc = bcx * (qq ^ 0.1)
If v >= bc Then
Unload Form2
Form1.Show
        Beep
        Messag$ = "设计流速大于等于不冲流速，请重
                新输入参数"
        Title$ = "错误"
        MsgBox Messag$, 48, Title$
        Exit Sub
        ElseIf v <= by Then
        Unload Form2
```

```
          Form1.Show
          Beep
          Messag$ = "设计流速小于等于不淤流速，请重
                    新输入参数"
          Title$ = "错误"
          MsgBox Messag$, 48, Title$
          Exit Sub
End If
Text3.Text = Format$(v, "###.###")
Text4.Text = Format$(w, "###.###")
End Sub
```

七、应用举例

【例 2-3】某灌区一条斗渠的灌溉设计流量 $Q=0.44$ m³/s，采用渠底比降 $i=1/4\ 000$，土质为黏壤土，要求设计该斗渠的过水断面。

1. 基本资料

(1)挖方渠道最小边坡系数见表 2-1。

表 2-1　挖方渠道最小边坡系数

渠道土壤条件	最小边坡系数		
	水深<1 m	水深 1～2 m	水深 2～3 m
黏土、重黏壤土、中黏壤土	1.00	1.00	1.25

(2)渠道糙率选用 $n=0.025$。

(3)中小型渠道，宽深比可采用下列数值：

流量　$Q<1$ m³/s　　　　　　　$\beta=1\sim2$

　　　$Q=1\sim3$ m³/s　　　　　　$\beta=1\sim3$

$$Q=3 \sim 5 \text{ m}^3/\text{s} \qquad\qquad \beta=2 \sim 4$$

$$Q=5 \sim 10 \text{ m}^3/\text{s} \qquad\quad \beta=3 \sim 5$$

(4)渠道不冲流速按 $V=kQ^{0.1}$ 计算，其中 $k=0.68$。

(5)渠道不淤流速为 0.3 m/s。

2. 运行结果

输入相应参数时的界面如图 2-7 所示。

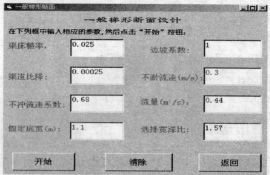

图 2-7　输入相应参数时的界面

输出结果如图 2-8 所示。

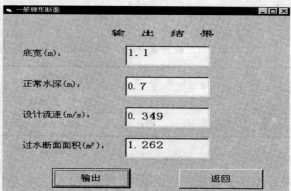

图 2-8　输出结果

第三章　有压管道沿程水头损失计算

第一节　直接计算法

一、计算公式

一般情况下，有压管道沿程水头损失应按下式计算

$$h_f = f\frac{LQ^m}{d^b}$$

式中　h_f——沿程水头损失，m；

　　　f——摩阻系数，与摩阻损失有关；

　　　L——管长，m；

　　　Q——流量，m^3/h；

　　　d——管内径，mm；

　　　m——流量指数，与摩阻损失有关；

　　　b——管径指数，与摩阻损失有关。

各种管材的 f、m 及 b 值可按表3-1确定。

二、主要标识符说明

Q——流量，m^3/h；

L——管长，m；

D——管内径，mm；

HF——沿程水头损失，m。

表 3-1 各种管材的 f、m 及 b 值

管　　　材	f	m	b
混凝土管、钢筋混凝土管			
$n=0.013$	1.312×10^6	2.00	5.33
$n=0.014$	1.516×10^6	2.00	5.33
$n=0.015$	1.749×10^6	2.00	5.33
$n=0.017$	2.240×10^6	2.00	5.33
旧钢管、旧铸铁管	6.25×10^5	1.90	5.10
石棉水泥管	1.455×10^5	1.85	4.89
硬塑料管	0.948×10^5	1.77	4.77
铝管、铝合金管	0.861×10^5	1.74	4.74

注：n 为粗糙系数。

三、程序说明

　　首先输入流量、管长和管内径三个参数，然后选择管道种类即可输出沿程水头损失值。如果选择的是混凝土管和钢筋混凝土管，则会自动弹出粗糙系数输入对话框，输入 n 值后，点击确定即可。

四、对象设置

Form1	Caption=直接计算法
Label1	Caption=有压管道沿程水头损失计算
Label2	Caption=请输入流量、管长等值，并选择管道类型：
Label3	Caption=流量(m³/h)：
Label4	Caption=管长(m)：
Label5	Caption=管内径(mm)：
Label6	Caption=沿程水头损失值(m)：
Option1	Caption=硬塑料管

Option2	Caption=铝管或铝合金管
Option3	Caption=石棉水泥管
Option4	Caption=旧钢管旧铸铁管
Option5	Caption=混凝土、钢筋混凝土管
Text1	Text= '输入流量值
Text2	Text= '输入管长
Text3	Text= '输入管内径
Text4	Text= '输出沿程水头损失
Command1	Caption=清除
Command2	Caption=结束

五、对象安排

Form1 对象安排如图 3-1 所示。

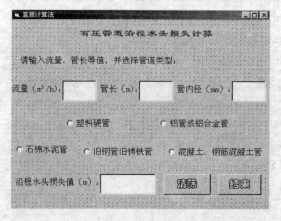

图 3-1 有压管流沿程水头损失计算对象安排

六、程序代码

Dim Q, L, HF, D, N As Double

```
Private Sub Command1_Click()
Text1.Text = ""
Text2.Text = ""
Text3.Text = ""
Text4.Text = ""
Text1.SetFocus
Form1.Option1.Value = False
Form1.Option2.Value = False
Form1.Option3.Value = False
Form1.Option4.Value = False
Form1.Option5.Value = False
Form1.Option1.Enabled = True
Form1.Option2.Enabled = True
Form1.Option3.Enabled = True
Form1.Option4.Enabled = True
Form1.Option5.Enabled = True
End Sub

Private Sub Command2_Click()
End
End Sub

Private Sub Form_Load()
Form1.Option1.Value = False
Form1.Option2.Value = False
Form1.Option3.Value = False
Form1.Option4.Value = False
Form1.Option5.Value = False
```

```
End Sub

Private Sub Option1_Click()
Form1.Option2.Enabled = False
Form1.Option3.Enabled = False
Form1.Option4.Enabled = False
Form1.Option5.Enabled = False
Q = Val(Text1.Text)
L = Val(Text2.Text)
D = Val(Text3.Text)
If (Q <= 0 Or L <= 0 Or D <= 0) Then
        Beep
        Messag$ = "参数输入错误"
        Title$ = "错误"
        MsgBox Messag$, 48, Title$
        If (Q <= 0) Then
            Text1.Text = ""
            Text1.SetFocus
        ElseIf (L <= 0) Then
            Text2.Text = ""
            Text2.SetFocus
        ElseIf (D <= 0) Then
            Text3.Text = ""
            Text3.SetFocus
        End If
        Form1.Option1.Value = False
        Exit Sub
End If
```

```
HF = 94800 * L * (Q ^ 1.77) / (D ^ 4.77)
Text4.Text = Format$(HF, "###.###")
End Sub


Private Sub Option2_Click()
Form1.Option1.Enabled = False
Form1.Option3.Enabled = False
Form1.Option4.Enabled = False
Form1.Option5.Enabled = False
Q = Val(Text1.Text)
L = Val(Text2.Text)
D = Val(Text3.Text)
If (Q <= 0 Or L <= 0 Or D <= 0) Then
        Beep
        Messag$ = "参数输入错误"
        Title$ = "错误"
        MsgBox Messag$, 48, Title$
        If (Q <= 0) Then
            Text1.Text = ""
            Text1.SetFocus
        ElseIf (L <= 0) Then
            Text2.Text = ""
            Text2.SetFocus
        ElseIf (D <= 0) Then
            Text3.Text = ""
            Text3.SetFocus
        End If
        Form1.Option2.Value = False
```

```
                Exit Sub
End If
HF = 86100 * L * (Q ^ 1.74) / (D ^ 4.74)
Text4.Text = Format$(HF, "###.###")
End Sub


Private Sub Option3_Click()
Form1.Option1.Enabled = False
Form1.Option2.Enabled = False
Form1.Option4.Enabled = False
Form1.Option5.Enabled = False
Q = Val(Text1.Text)
L = Val(Text2.Text)
D = Val(Text3.Text)
If (Q <= 0 Or L <= 0 Or D <= 0) Then
                Beep
                Messag$ = "参数输入错误"
                Title$ = "错误"
                MsgBox Messag$, 48, Title$
                If (Q <= 0) Then
                    Text1.Text = ""
                    Text1.SetFocus
                ElseIf (L <= 0) Then
                    Text2.Text = ""
                    Text2.SetFocus
                ElseIf (D <= 0) Then
                    Text3.Text = ""
                    Text3.SetFocus
```

```
                    End If
                    Form1.Option3.Value = False
                    Exit Sub
        End If
        HF = 145500 * L * (Q ^ 1.85) / (D ^ 4.89)
        Text4.Text = Format$(HF, "###.###")
        End Sub


        Private Sub Option4_Click()
        Form1.Option1.Enabled = False
        Form1.Option2.Enabled = False
        Form1.Option3.Enabled = False
        Form1.Option5.Enabled = False
        Q = Val(Text1.Text)
        L = Val(Text2.Text)
        D = Val(Text3.Text)
        If (Q <= 0 Or L <= 0 Or D <= 0) Then
                    Beep
                    Messag$ = "参数输入错误"
                    Title$ = "错误"
                    MsgBox Messag$, 48, Title$
                    If (Q <= 0) Then
                        Text1.Text = ""
                        Text1.SetFocus
                    ElseIf (L <= 0) Then
                        Text2.Text = ""
                        Text2.SetFocus
                    ElseIf (D <= 0) Then
```

```
            Text3.Text = ""
            Text3.SetFocus
        End If
        Form1.Option4.Value = False
        Exit Sub
    End If
    HF = 625000 * L * (Q ^ 1.9) / (D ^ 5.1)
    Text4.Text = Format$(HF, "###.###")
End Sub


Private Sub Option5_Click()
Form1.Option1.Enabled = False
Form1.Option2.Enabled = False
Form1.Option3.Enabled = False
Form1.Option4.Enabled = False
Q = Val(Text1.Text)
L = Val(Text2.Text)
D = Val(Text3.Text)
If (Q <= 0 Or L <= 0 Or D <= 0) Then
        Beep
        Messag$ = "参数输入错误"
        Title$ = "错误"
        MsgBox Messag$, 48, Title$
        If (Q <= 0) Then
            Text1.Text = ""
            Text1.SetFocus
        ElseIf (L <= 0) Then
            Text2.Text = ""
```

```
            Text2.SetFocus
         ElseIf (D <= 0) Then
            Text3.Text = ""
            Text3.SetFocus
         End If
         Form1.Option5.Value = False
         Exit Sub
   End If
   Beep
   N = InputBox("请输入粗糙系数 N 值", "N=0.013 或 0.014 或
      0.015 或 0.017")
   Form1.Option5.Value = False
   If (N <> 0.013 And N <> 0.014 And N <> 0.015 And N <>
      0.017) Then
            Beep
            Messag$ = "N 值输入错误,请在 0.013、0.014、
                     0.015、0.017 中选择"
            Title$ = "参数输入错误"
            MsgBox Messag$, 48, Title$
            Form1.Option5.Value = False
   End If
   If N = 0.013 Then
   HF = 1312000 * L * (Q ^ 2#) / (D ^ 5.33)
   Text4.Text = Format$(HF, "###.###")
   End If
   If N = 0.014 Then
   HF = 1516000 * L * (Q ^ 2#) / (D ^ 5.33)
   Text4.Text = Format$(HF, "###.###")
```

```
End If
If N = 0.015 Then
HF = 1749000 * L * (Q ^ 2#) / (D ^ 5.33)
Text4.Text = Format$(HF, "###.###")
End If
If N = 0.017 Then
HF = 2240000 * L * (Q ^ 2#) / (D ^ 5.33)
Text4.Text = Format$(HF, "###.###")
End If
End Sub
```

七、应用举例

【例 3-1】试求某钢筋混凝土管的沿程水头损失。

1. 基本资料

管长 L=2 000 m，管内径 d=350 mm，通过流量 Q=396 m³/h，粗糙系数 n=0.013。

2. 运行结果

输入流量、管长和管内径时的界面如图 3-2 所示。

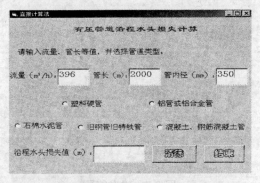

图 3-2　输入流量、管长和管内径时的界面

点击选项按钮"混凝土、钢筋混凝土管"后的界面如图 3-3 所示。

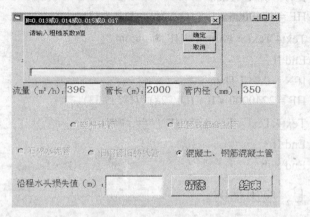

图 3-3　点击选项按钮"混凝土、钢筋混凝土管"后的界面

输入粗糙系数后，点击"确定"按钮，输出结果如图 3-4 所示。

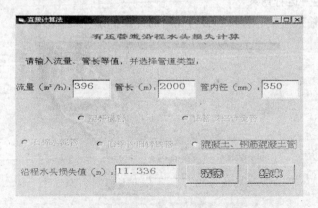

图 3-4　输出结果

第二节　多口系数法

一、计算公式

在喷灌和微喷灌管道水力计算中,经常会遇到多口出流的管道，其沿程水头损失可按下式计算

$$h'_f = Fh_f = Ff\frac{LQ^m}{d^b}$$

$$F = \frac{N\left(\dfrac{1}{m+1} + \dfrac{1}{2N} + \dfrac{\sqrt{m-1}}{6N^2}\right) - 1 + X}{N-1+X}$$

式中　h'_f——多口出流管道沿程水头损失;

　　　F——多口系数;

　　　N——管上的出水口(喷头或滴头)总数;

　　　X——多口管道首孔位置系数,即管道上第一个出水口(喷头或滴头)到管进口的距离与出水口(喷头或滴头)间距的比值;

　　　其他符号意义与本章第一节相同。

二、主要标识符说明

Q——流量，m^3/h;

L——管长，m;

D——管内径，mm;

$L1$——管道上第一个出水口(喷头或滴头)到管进口的距离，m;

JJ——出水口(喷头或滴头)的间距，m;

K——管上的出水口(喷头或滴头)总数;

F——多口系数；

X——多口管道首孔位置系数；

HF——管道沿程水头损失，m；

HFK——多口出流管道沿程水头损失，m。

三、程序说明

本程序除了要输入流量、管长和管内径三个参数外，还要求输入管道上第一个出水口到管进口的距离、出水口的间距以及出水口总数，然后选择管道种类(如果选择的是混凝土管和钢筋混凝土管，则会自动弹出粗糙系数输入对话框)。当令出水口总数为1、管道上第一个出水口到管进口的距离与出水口的间距相等时，即可用于计算一般管道的沿程水头损失，得出的结果与直接计算法计算的结果一致。

四、对象设置

Form1	Caption=多口系数法
Label1	Caption=多口出流管道的沿程水头损失
Label2	Caption=请输入流量、管长等值，并选择管道类型：
Label3	Caption=流量(m³/h)：
Label4	Caption=管长(m)：
Label5	Caption=管内径(mm)：
Label6	Caption=管道上第一个出水口到管进口的距离(m)：
Label7	Caption=出水口的间距(m)：
Label8	Caption=出水口总数：
Label9	Caption=沿程水头损失(m)：
Option1	Caption=硬塑料管

Option2	Caption=铝管或铝合金管
Option3	Caption=石棉水泥管
Option4	Caption=旧钢管旧铸铁管
Option5	Caption=混凝土、钢筋混凝土管
Text1	Text= ' 输入流量值
Text2	Text= ' 输入管长
Text3	Text= ' 输入管内径
Text4	Text= ' 输出沿程水头损失
Text5	Text= ' 输入管道上第一个出水口到管进口的距离
Text6	Text= ' 输入出水口的间距
Text7	Text= ' 输入出水口总数
Command1	Caption=清除
Command2	Caption=结束

五、对象安排

Form1 对象安排如图 3-5 所示。

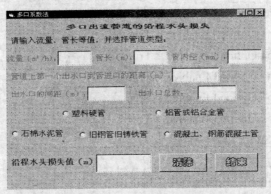

图 3-5 多口出流管道沿程水头损失计算对象安排

六、程序代码

```
Dim Q, L, HF, D, N, L1, JJ, K, X, F, HFK As Double

Private Sub Command1_Click()
Text1.Text = ""
Text2.Text = ""
Text3.Text = ""
Text4.Text = ""
Text5.Text = ""
Text6.Text = ""
Text7.Text = ""
Text1.SetFocus
Form1.Option1.Value = False
Form1.Option2.Value = False
Form1.Option3.Value = False
Form1.Option4.Value = False
Form1.Option5.Value = False
Form1.Option1.Enabled = True
Form1.Option2.Enabled = True
Form1.Option3.Enabled = True
Form1.Option4.Enabled = True
Form1.Option5.Enabled = True
End Sub


Private Sub Command2_Click()
End
End Sub
```

```
Private Sub Form_Load()
Form1.Option1.Value = False
Form1.Option2.Value = False
Form1.Option3.Value = False
Form1.Option4.Value = False
Form1.Option5.Value = False
End Sub

Private Sub Option1_Click()
Form1.Option2.Enabled = False
Form1.Option3.Enabled = False
Form1.Option4.Enabled = False
Form1.Option5.Enabled = False
Q = Val(Text1.Text)
L = Val(Text2.Text)
D = Val(Text3.Text)
L1 = Val(Text5.Text)
JJ = Val(Text6.Text)
K = Val(Text7.Text)
If (Q <= 0 Or L <= 0 Or D <= 0 Or L1 <= 0 Or JJ <= 0 Or K <=
   0) Then
            Beep
            Messag$ = "参数输入错误"
            Title$ = "错误"
            MsgBox Messag$, 48, Title$
            If (Q <= 0) Then
                Text1.Text = ""
```

```
                        Text1.SetFocus
                ElseIf (L <= 0) Then
                        Text2.Text = ""
                        Text2.SetFocus
                ElseIf (D <= 0) Then
                        Text3.Text = ""
                        Text3.SetFocus
                ElseIf (L1 <= 0) Then
                        Text5.Text = ""
                        Text5.SetFocus
                ElseIf (JJ <= 0) Then
                        Text6.Text = ""
                        Text6.SetFocus
                ElseIf (K <= 0) Then
                        Text7.Text = ""
                        Text7.SetFocus
                End If
                Form1.Option1.Value = False
                Exit Sub
        End If
        X = L1 / JJ
        F = (K * (1 / (1.77 + 1) + 1 / (2 * K) + (Sqr(1.77 - 1)) / (6 * K ^
            2)) - 1 + X) / (K - 1 + X)
        HF = 94800 * L * (Q ^ 1.77) / (D ^ 4.77)
        HFK = F * HF
        Text4.Text = Format$(HFK, "###.###")
        End Sub
```

```
Private Sub Option2_Click()
Form1.Option1.Enabled = False
Form1.Option3.Enabled = False
Form1.Option4.Enabled = False
Form1.Option5.Enabled = False
Q = Val(Text1.Text)
L = Val(Text2.Text)
D = Val(Text3.Text)
L1 = Val(Text5.Text)
JJ = Val(Text6.Text)
K = Val(Text7.Text)
If (Q <= 0 Or L <= 0 Or D <= 0 Or L1 <= 0 Or JJ <= 0 Or K <=
    0) Then
                Beep
                Messag$ = "参数输入错误"
                Title$ = "错误"
                MsgBox Messag$, 48, Title$
                If (Q <= 0) Then
                    Text1.Text = ""
                    Text1.SetFocus
                ElseIf (L <= 0) Then
                    Text2.Text = ""
                    Text2.SetFocus
                ElseIf (D <= 0) Then
                    Text3.Text = ""
                    Text3.SetFocus
                ElseIf (L1 <= 0) Then
                    Text5.Text = ""
```

```
                    Text5.SetFocus
                ElseIf (JJ <= 0) Then
                    Text6.Text = ""
                    Text6.SetFocus
                ElseIf (K <= 0) Then
                    Text7.Text = ""
                    Text7.SetFocus
                End If
                Form1.Option2.Value = False
                Exit Sub
    End If
    X = L1 / JJ
    F = (K * (1 / (1.74 + 1) + 1 / (2 * K) + (Sqr(1.74 – 1)) / (6 * K ^
        2)) – 1 + X) / (K – 1 + X)
    HF = 86100 * L * (Q ^ 1.74) / (D ^ 4.74)
    HFK = F * HF
    Text4.Text = Format$(HFK, "###.###")
End Sub


Private Sub Option3_Click()
Form1.Option1.Enabled = False
Form1.Option2.Enabled = False
Form1.Option4.Enabled = False
Form1.Option5.Enabled = False
Q = Val(Text1.Text)
L = Val(Text2.Text)
D = Val(Text3.Text)
L1 = Val(Text5.Text)
```

```
JJ = Val(Text6.Text)
K = Val(Text7.Text)
If (Q <= 0 Or L <= 0 Or D <= 0 Or L1 <= 0 Or JJ <= 0 Or K <=
0) Then
                Beep
                Messag$ = "参数输入错误"
                Title$ = "错误"
                MsgBox Messag$, 48, Title$
                If (Q <= 0) Then
                    Text1.Text = ""
                    Text1.SetFocus
                ElseIf (L <= 0) Then
                    Text2.Text = ""
                    Text2.SetFocus
                ElseIf (D <= 0) Then
                    Text3.Text = ""
                    Text3.SetFocus
                ElseIf (L1 <= 0) Then
                    Text5.Text = ""
                    Text5.SetFocus
                ElseIf (JJ <= 0) Then
                    Text6.Text = ""
                    Text6.SetFocus
                ElseIf (K <= 0) Then
                    Text7.Text = ""
                    Text7.SetFocus
                End If
Form1.Option3.Value = False
```

```
                    Exit Sub
End If
X = L1 / JJ
F = (K * (1 / (1.85 + 1) + 1 / (2 * K) + (Sqr(1.85 – 1)) / (6 * K ^
    2)) – 1 + X) / (K – 1 + X)
HF = 145500 * L * (Q ^ 1.85) / (D ^ 4.89)
HFK = F * HF
Text4.Text = Format$(HFK, "###.###")
End Sub


Private Sub Option4_Click()
Form1.Option1.Enabled = False
Form1.Option2.Enabled = False
Form1.Option3.Enabled = False
Form1.Option5.Enabled = False
Q = Val(Text1.Text)
L = Val(Text2.Text)
D = Val(Text3.Text)
L1 = Val(Text5.Text)
JJ = Val(Text6.Text)
K = Val(Text7.Text)
If (Q <= 0 Or L <= 0 Or D <= 0 Or L1 <= 0 Or JJ <= 0 Or K <=
    0) Then
                    Beep
                    Messag$ = "参数输入错误"
                    Title$ = "错误"
                    MsgBox Messag$, 48, Title$
                    If (Q <= 0) Then
```

```
                    Text1.Text = ""
                    Text1.SetFocus
              ElseIf (L <= 0) Then
                    Text2.Text = ""
                    Text2.SetFocus
              ElseIf (D <= 0) Then
                    Text3.Text = ""
                    Text3.SetFocus
              ElseIf (L1 <= 0) Then
                    Text5.Text = ""
                    Text5.SetFocus
              ElseIf (JJ <= 0) Then
                    Text6.Text = ""
                    Text6.SetFocus
              ElseIf (K <= 0) Then
                    Text7.Text = ""
                    Text7.SetFocus
              End If
              Form1.Option4.Value = False
              Exit Sub
        End If
        X = L1 / JJ
        F = (K * (1 / (1.9 + 1) + 1 / (2 * K) + (Sqr(1.9 - 1)) / (6 * K ^ 2))
              - 1 + X) / (K - 1 + X)
        HF = 625000 * L * (Q ^ 1.9) / (D ^ 5.1)
        HFK = F * HF
        Text4.Text = Format$(HFK, "###.###")
        End Sub
```

```
Private Sub Option5_Click()
Form1.Option1.Enabled = False
Form1.Option2.Enabled = False
Form1.Option3.Enabled = False
Form1.Option4.Enabled = False
Q = Val(Text1.Text)
L = Val(Text2.Text)
D = Val(Text3.Text)
L1 = Val(Text5.Text)
JJ = Val(Text6.Text)
K = Val(Text7.Text)
If (Q <= 0 Or L <= 0 Or D <= 0 Or L1 <= 0 Or JJ <= 0 Or K <=
0) Then
                Beep
                Messag$ = "参数输入错误"
                Title$ = "错误"
                MsgBox Messag$, 48, Title$
                If (Q <= 0) Then
                    Text1.Text = ""
                    Text1.SetFocus
                ElseIf (L <= 0) Then
                    Text2.Text = ""
                    Text2.SetFocus
                ElseIf (D <= 0) Then
                    Text3.Text = ""
                    Text3.SetFocus
                ElseIf (L1 <= 0) Then
```

```
                Text5.Text = ""
                Text5.SetFocus
            ElseIf (JJ <= 0) Then
                Text6.Text = ""
                Text6.SetFocus
            ElseIf (K <= 0) Then
                Text7.Text = ""
                Text7.SetFocus
            End If
            Form1.Option5.Value = False
            Exit Sub
    End If
    Beep
    N = InputBox("请输入粗糙系数 N 值", "N=0.013 或 0.014 或
        0.015 或 0.017")
    Form1.Option5.Value = False
    If (N <> 0.013 And N <> 0.014 And N <> 0.015 And N <>
        0.017) Then
                Beep
                Messag$ = "n 值输入错误，请在 0.013、0.014、
                        0.015、0.017 中选择"
                Title$ = "参数输入错误"
                MsgBox Messag$, 48, Title$
                Form1.Option5.Value = False
                End If
    If N = 0.013 Then
    X = L1 / JJ
    F = (K * (1 / (2 + 1) + 1 / (2 * K) + (Sqr(2 - 1)) / (6 * K ^ 2)) -
```

```
          1 + X) / (K – 1 + X)
HF = 1312000 * L * (Q ^ 2#) / (D ^ 5.33)
HFK = F * HF
Text4.Text = Format$(HFK, "###.###")
End If
If N = 0.014 Then
X = L1 / JJ
F = (K * (1 / (2 + 1) + 1 / (2 * K) + (Sqr(2 – 1)) / (6 * K ^ 2)) –
          1 + X) / (K – 1 + X)
HF = 1516000 * L * (Q ^ 2#) / (D ^ 5.33)
HFK = F * HF
Text4.Text = Format$(HFK, "###.###")
End If
If N = 0.015 Then
X = L1 / JJ
F = (K * (1 / (2 + 1) + 1 / (2 * K) + (Sqr(2 - 1)) / (6 * K ^ 2)) - 1
          + X) / (K – 1 + X)
HF = 1749000 * L * (Q ^ 2#) / (D ^ 5.33)
HFK = F * HF
Text4.Text = Format$(HFK, "###.###")
End If
If N = 0.017 Then
X = L1 / JJ
F = (K * (1 / (2 + 1) + 1 / (2 * K) + (Sqr(2 – 1)) / (6 * K ^ 2)) –
          1 + X) / (K – 1 + X)
HF = 2240000 * L * (Q ^ 2#) / (D ^ 5.33)
HFK = F * HF
Text4.Text = Format$(HFK, "###.###")
```

End If
End Sub

七、应用举例

【**例 3-2**】求某喷灌支管(材料为聚丙烯)的沿程水头损失。

1. 基本资料

支管全长 L=195.5 m，通过流量 Q=36 m³/h，安 12 个喷头同时工作，喷头间距为 17 m，第一个喷头离支管进口的距离为 8.5 m，外径 × 壁厚=90 mm × 3.2 mm。

2. 运行结果

运行结果如图 3-6 所示。

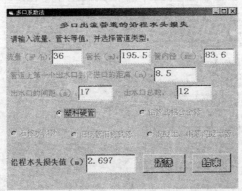

图 3-6 运行结果

第三节 逐段计算法

一、计算公式

计算公式同直接计算法。

二、主要标识符说明

H——总的沿程水头损失，m。
其他标识符同直接计算法。

三、程序说明

本程序根据管道上出水口的数量把整个管道分为若干段，利用直接计算法的公式对每一段进行沿程水头损失计算，然后把它们加起来得到总的沿程水头损失。参数的输入和管道种类的选择与第二节完全一致。同样的，当令出水口总数为 1、管道上第一个出水口到管进口的距离与出水口的间距相等时，即可用于计算一般管道的沿程水头损失，得出的结果与直接计算法计算的结果一致。

四、对象设置

对象设置同第二节。

五、对象安排

对象安排同第二节。

六、程序代码

```
Dim Q, L, HF, D, N, L1, JJ, K, H As Double

Private Sub Command1_Click()
Text1.Text = ""
Text2.Text = ""
Text3.Text = ""
Text4.Text = ""
```

```
Text5.Text = ""
Text6.Text = ""
Text7.Text = ""
Text1.SetFocus
Form1.Option1.Value = False
Form1.Option2.Value = False
Form1.Option3.Value = False
Form1.Option4.Value = False
Form1.Option5.Value = False
Form1.Option1.Enabled = True
Form1.Option2.Enabled = True
Form1.Option3.Enabled = True
Form1.Option4.Enabled = True
Form1.Option5.Enabled = True
End Sub


Private Sub Command2_Click()
End
End Sub


Private Sub Form_Load()
Form1.Option1.Value = False
Form1.Option2.Value = False
Form1.Option3.Value = False
Form1.Option4.Value = False
Form1.Option5.Value = False
End Sub
```

```
Private Sub Option1_Click()
Form1.Option2.Enabled = False
Form1.Option3.Enabled = False
Form1.Option4.Enabled = False
Form1.Option5.Enabled = False
Q = Val(Text1.Text)
L = Val(Text2.Text)
D = Val(Text3.Text)
L1 = Val(Text5.Text)
JJ = Val(Text6.Text)
K = Val(Text7.Text)
If (Q <= 0 Or L <= 0 Or D <= 0 Or L1 <= 0 Or JJ <= 0 Or K <=
    0) Then
                Beep
                Messag$ = "参数输入错误"
                Title$ = "错误"
                MsgBox Messag$, 48, Title$
                If (Q <= 0) Then
                    Text1.Text = ""
                    Text1.SetFocus
                ElseIf (L <= 0) Then
                    Text2.Text = ""
                    Text2.SetFocus
                ElseIf (D <= 0) Then
                    Text3.Text = ""
                    Text3.SetFocus
                ElseIf (L1 <= 0) Then
                    Text5.Text = ""
```

```
                Text5.SetFocus
            ElseIf (JJ <= 0) Then
                Text6.Text = ""
                Text6.SetFocus
            ElseIf (K <= 0) Then
                Text7.Text = ""
                Text7.SetFocus
            End If
            Form1.Option1.Value = False
            Exit Sub
    End If
    H = 0
    q1 = Q / K
    For w = 1 To K
    i = 94800 * (Q ^ 1.77) / (D ^ 4.77)
    HF = i * L1
    H = H + HF
    Q = Q - q1
    L1 = JJ
    Next w
    Text4.Text = Format$(H, "###.###")
    End Sub


    Private Sub Option2_Click()
    Form1.Option1.Enabled = False
    Form1.Option3.Enabled = False
    Form1.Option4.Enabled = False
    Form1.Option5.Enabled = False
```

```
Q = Val(Text1.Text)
L = Val(Text2.Text)
D = Val(Text3.Text)
L1 = Val(Text5.Text)
JJ = Val(Text6.Text)
K = Val(Text7.Text)
If (Q <= 0 Or L <= 0 Or D <= 0 Or L1 <= 0 Or JJ <= 0 Or K <=
    0) Then
                Beep
                Messag$ = "参数输入错误"
                Title$ = "错误"
                MsgBox Messag$, 48, Title$
                If (Q <= 0) Then
                    Text1.Text = ""
                    Text1.SetFocus
                ElseIf (L <= 0) Then
                    Text2.Text = ""
                    Text2.SetFocus
                ElseIf (D <= 0) Then
                    Text3.Text = ""
                    Text3.SetFocus
                ElseIf (L1 <= 0) Then
                    Text5.Text = ""
                    Text5.SetFocus
                ElseIf (JJ <= 0) Then
                    Text6.Text = ""
                    Text6.SetFocus
                ElseIf (K <= 0) Then
```

```
                    Text7.Text = ""
                    Text7.SetFocus
                End If
                Form1.Option2.Value = False
                Exit Sub
        End If
        H = 0
        q1 = Q / K
        For w = 1 To K
        i = 86100 * (Q ^ 1.74) / (D ^ 4.74)
        HF = i * L1
        H = H + HF
        Q = Q - q1
        L1 = JJ
        Next w
        Text4.Text = Format$(H, "###.###")
        End Sub


        Private Sub Option3_Click()
        Form1.Option1.Enabled = False
        Form1.Option2.Enabled = False
        Form1.Option4.Enabled = False
        Form1.Option5.Enabled = False
        Q = Val(Text1.Text)
        L = Val(Text2.Text)
        D = Val(Text3.Text)
        L1 = Val(Text5.Text)
        JJ = Val(Text6.Text)
```

```
K = Val(Text7.Text)
If (Q <= 0 Or L <= 0 Or D <= 0 Or L1 <= 0 Or JJ <= 0 Or K <=
0) Then
                Beep
                Messag$ = "参数输入错误"
                Title$ = "错误"
                MsgBox Messag$, 48, Title$
                If (Q <= 0) Then
                    Text1.Text = ""
                    Text1.SetFocus
                ElseIf (L <= 0) Then
                    Text2.Text = ""
                    Text2.SetFocus
                ElseIf (D <= 0) Then
                    Text3.Text = ""
                    Text3.SetFocus
                ElseIf (L1 <= 0) Then
                    Text5.Text = ""
                    Text5.SetFocus
                ElseIf (JJ <= 0) Then
                    Text6.Text = ""
                    Text6.SetFocus
                ElseIf (K <= 0) Then
                    Text7.Text = ""
                    Text7.SetFocus
                End If
                Form1.Option3.Value = False
                Exit Sub
```

```
End If
H = 0
q1 = Q / K
For w = 1 To K
i = 145500 * (Q ^ 1.85) / (D ^ 4.89)
HF = i * L1
H = H + HF
Q = Q - q1
L1 = JJ
Next w
Text4.Text = Format$(H, "###.###")
End Sub


Private Sub Option4_Click()
Form1.Option1.Enabled = False
Form1.Option2.Enabled = False
Form1.Option3.Enabled = False
Form1.Option5.Enabled = False
Q = Val(Text1.Text)
L = Val(Text2.Text)
D = Val(Text3.Text)
L1 = Val(Text5.Text)
JJ = Val(Text6.Text)
K = Val(Text7.Text)
If (Q <= 0 Or L <= 0 Or D <= 0 Or L1 <= 0 Or JJ <= 0 Or K <=
   0) Then
            Beep
            Messag$ = "参数输入错误"
```

```
                Title$ = "错误"
                MsgBox Messag$, 48, Title$
                If (Q <= 0) Then
                    Text1.Text = ""
                    Text1.SetFocus
                ElseIf (L <= 0) Then
                    Text2.Text = ""
                    Text2.SetFocus
                ElseIf (D <= 0) Then
                    Text3.Text = ""
                    Text3.SetFocus
                ElseIf (L1 <= 0) Then
                    Text5.Text = ""
                    Text5.SetFocus
                ElseIf (JJ <= 0) Then
                    Text6.Text = ""
                    Text6.SetFocus
                ElseIf (K <= 0) Then
                    Text7.Text = ""
                    Text7.SetFocus
                End If
                Form1.Option4.Value = False
                Exit Sub
    End If
    H = 0
    q1 = Q / K
    For w = 1 To K
    i = 625000 * (Q ^ 1.9) / (D ^ 5.1)
```

```
HF = i * L1
H = H + HF
Q = Q - q1
L1 = JJ
Next w
Text4.Text = Format$(H, "###.###")
End Sub


Private Sub Option5_Click()
Form1.Option1.Enabled = False
Form1.Option2.Enabled = False
Form1.Option3.Enabled = False
Form1.Option4.Enabled = False
Q = Val(Text1.Text)
L = Val(Text2.Text)
D = Val(Text3.Text)
L1 = Val(Text5.Text)
JJ = Val(Text6.Text)
K = Val(Text7.Text)
If (Q <= 0 Or L <= 0 Or D <= 0 Or L1 <= 0 Or JJ <= 0 Or K <=
0) Then
                Beep
                Messag$ = "参数输入错误"
                Title$ = "错误"
                MsgBox Messag$, 48, Title$
                If (Q <= 0) Then
                    Text1.Text = ""
                    Text1.SetFocus
```

```
        ElseIf (L <= 0) Then
            Text2.Text = ""
            Text2.SetFocus
        ElseIf (D <= 0) Then
            Text3.Text = ""
            Text3.SetFocus
        ElseIf (L1 <= 0) Then
            Text5.Text = ""
            Text5.SetFocus
        ElseIf (JJ <= 0) Then
            Text6.Text = ""
            Text6.SetFocus
        ElseIf (K <= 0) Then
            Text7.Text = ""
            Text7.SetFocus
        End If
        Form1.Option5.Value = False
        Exit Sub
End If
Beep
N = InputBox("请输入粗糙系数 N 值", "N=0.013 或 0.014 或
    0.015 或 0.017")
Form1.Option5.Value = False
If (N <> 0.013 And N <> 0.014 And N <> 0.015 And N <>
    0.017) Then
        Beep
        Messag$ = "N 值输入错误，请在 0.013、0.014、
            0.015、0.017 中选择"
```

```
                    Title$ = "参数输入错误"
                    MsgBox Messag$, 48, Title$
                    Form1.Option5.Value = False
                    End If
If N = 0.013 Then
H = 0
q1 = Q / K
For w = 1 To K
i = 1312000 * (Q ^ 2#) / (D ^ 5.33)
HF = i * L1
H = H + HF
Q = Q - q1
L1 = JJ
Next w
Text4.Text = Format$(H, "###.###")
End If
If N = 0.014 Then
H = 0
q1 = Q / K
For w = 1 To K
i = 1516000 * (Q ^ 2#) / (D ^ 5.33)
HF = i * L1
H = H + HF
Q = Q - q1
L1 = JJ
Next w
Text4.Text = Format$(H, "###.###")
End If
```

```
If N = 0.015 Then
H = 0
q1 = Q / K
For w = 1 To K
i = 1749000 * (Q ^ 2#) / (D ^ 5.33)
HF = i * L1
H = H + HF
Q = Q - q1
L1 = JJ
Next w
Text4.Text = Format$(H, "###.###")
End If
If N = 0.017 Then
H = 0
q1 = Q / K
For w = 1 To K
i = 2240000 * (Q ^ 2#) / (D ^ 5.33)
HF = i * L1
H = H + HF
Q = Q - q1
L1 = JJ
Next w
Text4.Text = Format$(H, "###.###")
End If
End Sub
```

七、应用举例

【例 3-3】求某喷灌支管(材料为铝质)的沿程水头损失。

1. 基本资料

支管全长 $L=150$ m，安装 6 个喷头，喷头间距为 30 m，但第一个喷头位于支管首端，每个喷头的流量为 7 m³/h，外径×壁厚=76 mm×1.5 mm。

在这里值得注意的是：第一个喷头位于支管首端，则此喷头及流量都不应计入本支管内，因为它对支管沿程水头损失未起作用，故支管喷头总数应为 6−1=5，流量为 5×7=35(m³/h)，这时管道上第一个出水口到管进口的距离则为 30 m。

2. 运行结果

运行结果如图 3-7 所示。

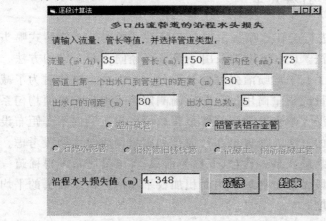

图 3-7 运行结果

第四章　喷灌试验参数的计算

第一节　径向不等距布设雨量筒时喷头试验参数的计算

一、计算公式

在进行旋转式喷头水量分布特性试验时，《旋转式喷头试验方法》(GB5670.3)采用了雨量筒径向等距布设的方法，并列出了其平均喷灌强度的计算公式。但是，试验时为了减少工作量或雨量筒用量，并准确测定喷头射程和喷灌均匀系数，武汉大学水电学院的罗金耀教授提出了径向不等距布设雨量筒的方法。他提出在径向排列雨量筒时分为两段考虑，即在紧靠喷头的一段(以下称为前段)将雨量筒布设得稀疏一些，后段做加密处理，用面积加权平均的方法求喷头的平均喷灌强度。

设沿径向排列的测线数为 E，各测线间的夹角为 θ，测线上量雨筒的布设方法如图 4-1 和图 4-2 所示。由图可知，测线上前段布置间距为 L 的量雨筒 m 个，第一个量雨筒至喷头中心的距离为 $L/2$；后段上共布设了间距为 L/q 的雨量筒 $n+1-m$ 个。又设各测点喷灌强度为 $\rho_i (i=1, 2, \cdots, m, m+1, \cdots, n, n+1)$，且 $\rho_0 \in (\rho_n, \rho_{n+1})$。因此，径向不等距排列的量雨筒共 $n+1$ 个。

通过推导，可得喷头平均喷灌强度计算公式为

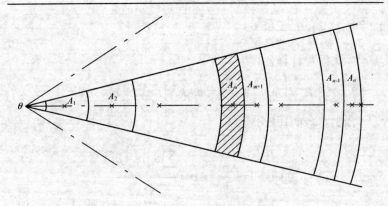

图 4-1　测线上量雨筒的布设方法

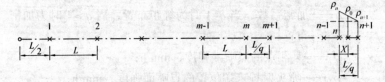

图 4-2　量雨筒间距示意图

$$\overline{\rho} = \frac{P_1 + P_m + P_2 + P_n}{\left[m - \dfrac{1}{2} + \dfrac{1}{q}\left(n - m + k_0\right) \right]^2}$$

其中　　$P_1 = \displaystyle\sum_{i=1}^{m-1}(2i-1)\rho_i \quad (i=1,\cdots,\ m-1)$

$P_m = \dfrac{1}{4q^2}[(4m-3)q+1](q+1)\rho_m$

$P_2 = \dfrac{1}{q^2} \displaystyle\sum_{i=m+1}^{n-1} [2m(q-1)+2i-q]\rho_i \quad (i=m+1,\cdots,n-1)$

$P_n = \dfrac{1}{4q^2}\{[2q(2m-1)+4(n-m)](2k_0+1)+4k_0^2-1\}\rho_n$

$$k_0 = 1 - \frac{\rho_0 - \rho_{n+1}}{\rho_n - \rho_{n+1}}$$

喷头射程计算公式为

$$R_j = \left[m - \frac{1}{2} + \frac{1}{q}(n - m + k_0) \right] L \quad (j = 1, \cdots, E)$$

均匀系数的计算公式为

$$Cu = 1 - \frac{\Delta\rho}{\bar{\rho}} \quad \Delta\rho = \frac{\sum\limits_{i=1}^{n} S_i |\rho_i - \bar{\rho}|}{\sum\limits_{i=1}^{n} S_i}$$

式中　$\bar{\rho}$——实测喷头平均喷灌强度，mm/h；

　　　q——加密系数，当 $q=1$ 时为等距布置，当 $q>1$ 时为加密布置；

　　　ρ_i——某测点的点喷灌强度，mm/h；

　　　ρ_0——喷头射程末端位置的点喷灌强度，mm/h；

　　　R_j——喷头射程，m；

　　　E——测线总数；

　　　Cu——喷灌均匀系数；

　　　$\Delta\rho$——各测点喷灌强度与平均喷灌强度的差值，mm/h；

　　　S_i——某测点所代表的面积，m^2。

二、主要标识符说明

Z——测线总条数；

T——测试时间，min；

Q——加密系数；

L——加密布设时为前段雨量筒间距,均匀布设时为雨量筒间距，m；

Pj——喷头平均喷灌强度，mm/h；

p0——喷头射程末端位置的点喷灌强度，mm/h；

W——各测点量雨筒承接的水量，mL；

N—— 一条测线上 $\rho > \rho_0$ 的个数；

ZD——测线上雨量筒数目。

三、程序说明

(1)本程序将实测点雨量筒承接的水量从喷头处开始按顺序在 d:\pjpgqd.txt 中输入，第 m 点处数据以负数表示。

(2)程序中雨量筒的口径为 16 cm，如用其他口径的雨量筒，语句"$P(j, i) = 3 * W(j, i) / T$"要做修改。

(3)喷头射程末端位置的点喷灌强度 ρ_0 采用 0.25 mm/h 或 0.13 mm/h(对流量小于等于 0.075 m³/h 的喷头为 0.13 mm/h)。

(4)如果测线上第一个量雨筒至喷头中心的距离为 $L/2$，前段布置间距为 L 的量雨筒 m 个，后段上共布设了间距为 L/q 的雨量筒 $n+1-m$ 个，程序把这种布置形式叫径向不等距加密布设雨量筒；如果测线上第一个量雨筒至喷头中心的距离为 $L/2$，后面所有的雨量筒的间距都是 L，程序把这种形式叫径向不等距均匀布设雨量筒。

四、对象设置

(一)Form1 对象设置

Form1　　Caption=操作提示

Text1　　text=　操作提示

　　1. 在 d:\下创建一个 pjpgqd.txt 文本文件，然后打开它；

　　2. 将实测点雨量筒承接的水量从喷头处开始按顺序输入；

　　3. 第 m 点处数据以负数表示；

4. 检查数据无误后保存该文件，然后点击"确定"按钮。

注：每个数据之间用空格隔开。

Command1　　　Caption=确定

(二)Form2 对象设置

Form2　　　　Caption=喷头射程和均匀系数的确定

Label1　　　　Caption=径向不等距布设雨量筒时喷头射程和均匀系数的确定

Label2　　　　Caption=请先选择雨量筒布设形式，再输入相关参数，然后点击"开始"按钮：

Label3　　　　Caption=测线总条数：

Label4　　　　Caption=测试历时(min)：

Label5　　　　Caption=加密系数：

Label6　　　　Caption=前段雨量筒间距(m)：

Label7　　　　Caption=雨量筒间距(m)：

Label8　　　　Caption=喷头射程(m)：

Label9　　　　Caption=喷灌均匀系数：

Label10　　　　Caption=喷头平均喷灌强度(mm/h)：

Label11　　　　Caption=测线上雨量筒的数目：

Label12　　　　Caption=喷头射程末端位置的点喷灌强度(mm/h)：

Option1　　　　Caption=径向不等距加密布设雨量筒

Option2　　　　Caption=径向不等距均匀布设雨量筒

Text1　　　Text=　　　'输入测线总条数

Text2　　　Text=　　　'输入测试历时

Text3　　　Text=　　　'输入加密系数

Text4　　　Text=　　　'输入前段雨量筒间距

Text5　　　Text=　　　'输入雨量筒间距

Text6	Text=	' 输出喷头射程
Text7	Text=	' 输出喷灌均匀系数
Text8	Text=	' 输出喷头平均喷灌强度
Text9	Text=	' 输入测线上的雨量筒数目
Text10	Text=	' 输入喷头射程末端位置的点喷灌 　强度
Command1	Caption=开始	
Command2	Caption=清除	
Command3	Caption=结束	

五、对象安排

Form1、Form2 对象安排如图 4-3、图 4-4 所示。

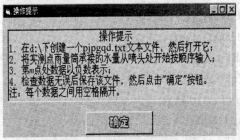

图 4-3　操作提示窗体显示

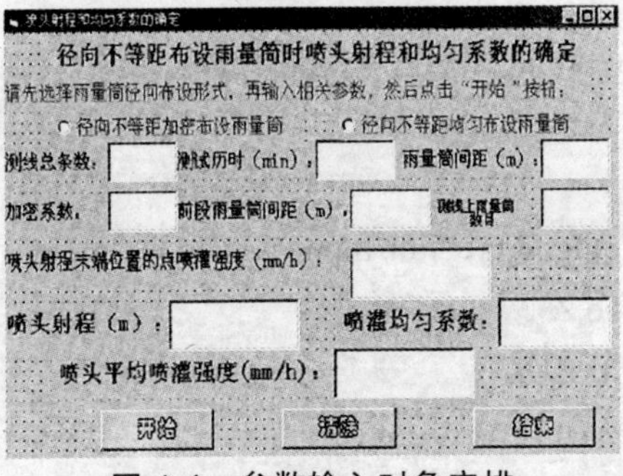

图 4-4　参数输入对象安排

六、程序代码

(一)Form1 程序代码

```
Private Sub Command1_Click()
Unload Form1
Form2.Show
End Sub
```

(二)Form2 程序代码

```
' 雨量筒口径为 16cm
Dim Z, L, Q, T, W(32, 100), P(32, 100), N(32), M(32), N1(32),
K(32), P2(32), R(32) As Double
Private Sub Command1_Click()
Z = Val(Text1.Text)
T = Val(Text2.Text)
Q = Val(Text3.Text)
ZD = Val(Text9.Text)
p0 = Val(Text10.Text)
If Form2.Option1.Value = True Then
L = Val(Text4.Text)
End If
If Form2.Option2.Value = True Then
L = Val(Text5.Text)
End If
Open "d:\pjpgqd.txt" For Input As #1
For i = 1 To Z
For j = 1 To ZD
Input #1, W(i, j)
Next j
```

```
Next i
Close #1
Form2.Cls
For j = 1 To Z
For i = 1 To ZD
P(j, i) = 3 * W(j, i) / T
If P(j, i) = 0 Then
GoTo tez:
End If
Next i
tez:
N1(j) = i
For i = 1 To N1(j)
If P(j, i) > 0 Then
GoTo tsz:
End If
If P(j, i) = 0 Then
GoTo sql:
End If
P(j, i) = –P(j, i)
M(j) = i
tsz:
If P(j, i) > p0 Then
GoTo fzz:
End If
sql:
N(j) = i – 1
K(j) = 1 – (p0 – P(j, N(j) + 1)) / (P(j, N(j)) – P(j, N(j) + 1))
```

```
GoTo foz:
fzz:
Next i
foz:
Next j
s2 = 0
For j = 1 To Z
If Q > 0 Then
GoTo sfz:
End If
s1 = 0
For i = 1 To N(j)
If i = N(j) Then
GoTo fez:
End If
p1 = (2 * i – 1) * P(j, i)
GoTo fnz:
fez:
p1 = (2 * (N(j) – 1) + 1 / 2 + K(j)) * (1 / 2 + K(j)) * P(j, N(j))
fnz:
s1 = s1 + p1
Next i
R(j) = (N(j) – 1 / 2 + K(j)) * L
P2(j) = s1 / (N(j) – 1 / 2 + K(j)) ^ 2
GoTo bwl:
sfz:
s4 = 0
For i = 1 To N(j)
```

```
If i = M(j) Then
GoTo qsl:
End If
If i > M(j) Then
GoTo ssz:
End If
If i = N(j) Then
GoTo snz:
End If
a1 = 2 * i – 1
p1 = a1 * P(j, i)
GoTo byl:
qsl:
a1 = ((4 * M(j) – 3) * Q + 1) * (Q + 1) / (4 * Q * Q)
p1 = a1 * P(j, M(j))
GoTo byl:
ssz:
a1 = (2 * M(j) * (Q – 1) + 2 * i – Q) / (Q * Q)
p1 = a1 * P(j, i)
GoTo byl:
snz:
a1 = (2 * Q * (2 * M(j) – 1) + 4 * (N(j) – M(j)) + 2 * K(j) – 1) *
     (2 * K(j) + 1) / (4 * Q * Q)
p1 = a1 * P(j, N(j))
byl:
s4 = s4 + p1
Next i
R(j) = (M(j) – 1 / 2 + (N(j) – M(j) + K(j)) / Q) * L
```

```
P2(j) = s4 / (R(j) / L) ^ 2
bwl:
s2 = s2 + P2(j)
Next j
pj = Int(100 * s2 / Z + 0.5) / 100
For j = 1 To Z          ' 因射程要求的是最大值，故用冒泡法
                          排序

For i = 1 To Z – j
If R(i) > R(i + 1) Then
T = R(i)
R(i) = R(i + 1)
R(i + 1) = T
End If
Next i
Next j
sc = R(Z)
Text6.Text = Format$(sc, "###.##")
Text8.Text = pj
s2 = 0       ' 开始求均匀系数
For j = 1 To Z
If Q > 0 Then
GoTo sfz2:
End If
s1 = 0
For i = 1 To N(j)
If i = N(j) Then
GoTo fez2:
End If
```

```
p1 = (2 * i – 1) * Abs(P(j, i) – pj)
GoTo fnz2:
fez2:
p1 = (2 * (N(j) – 1) + 1 / 2 + K(j)) * (1 / 2 + K(j)) * Abs(P(j,
    N(j)) – pj)
fnz2:
s1 = s1 + p1
Next i
P2(j) = s1 / (N(j) – 1 / 2 + K(j)) ^ 2
GoTo efz2:
sfz2:
s4 = 0
For i = 1 To N(j)
If i = M(j) Then
GoTo qsl2:
End If
If i > M(j) Then
GoTo qll2:
End If
If i = N(j) Then
GoTo qjl2:
End If
a1 = 2 * i – 1
p1 = a1 * Abs(P(j, i) – pj)
GoTo byl2:
qsl2:
a1 = ((4 * M(j) – 3) * Q + 1) * (Q + 1) / (4 * Q * Q)
p1 = a1 * Abs(P(j, M(j)) – pj)
```

```
GoTo byl2:
qll2:
a1 = (2 * M(j) * (Q – 1) + 2 * i – Q) / (Q * Q)
p1 = a1 * Abs(P(j, i) – pj)
GoTo byl2:
qjl2:
a1 = (2 * Q * (2 * M(j) – 1) + 4 * (N(j) – M(j)) + 2 * K(j) – 1) *
     (2 * K(j) + 1) / (4 * Q * Q)
p1 = a1 * Abs(P(j, N(j)) – pj)
byl2:
s4 = s4 + p1
Next i
P2(j) = s4 / (R(j) / L) ^ 2
efz2:
s2 = s2 + P2(j)
Next j
pjz = Int(100 * s2 / Z + 0.5) / 100
cu = (1 – pjz / pj)
cu = Format$(cu, "###.##")
Text7.Text = cu
End Sub

Private Sub Command2_Click()
Text1.Text = ""
Text2.Text = ""
Text3.Text = ""
Text4.Text = ""
Text5.Text = ""
```

```
Text6.Text = ""
Text7.Text = ""
Text8.Text = ""
Text9.Text = ""
Text10.Text = ""
Text1.SetFocus
Form2.Cls
Form2.Option1.Value = False
Form2.Option2.Value = False
Label6.Enabled = True
Text5.Enabled = True
Text3.Enabled = True
Label4.Enabled = True
Text4.Enabled = True
Label5.Enabled = True
End Sub

Private Sub Command3_Click()
End
End Sub

Private Sub Form_Load()
Form2.Option1.Value = False
Form2.Option2.Value = False
End Sub

Private Sub Option1_Click()
Form2.Option2.Value = False
```

```
Text5.Enabled = False
Label5.Enabled = True
Text4.Enabled = True
Label6.Enabled = False
Text3.Enabled = True
Label4.Enabled = True
Text1.SetFocus
End Sub

Private Sub Option2_Click()
Form2.Option1.Value = False
Text4.Enabled = False
Label5.Enabled = False
Label6.Enabled = True
Text5.Enabled = True
Text3.Enabled = False
Label4.Enabled = False
Text1.SetFocus
End Sub
```

七、应用举例

【例 4-1】求某喷头的射程、喷灌均匀系数和平均喷灌强度。

1. 基本资料

测线总条数为 8，加密系数为 2，测试时间 32.5 min，前段雨量筒间距 2 m。各测点量雨筒承接的水量见表 4-1。喷头射程末端位置的点喷灌强度采用 0.25 mm/h，测线上的雨量筒数目为 17 个。

表 4-1　测线上各测点雨量筒承接的水量　　　（单位：mL）

测点	1	2	3	4	5	6	7	8
1	118	126	120	105	118	104	133	126
2	95	85	100	94	98	88	86	95
3	68	65	72	69.5	80	70	70	70
4	51	55	63	61.5	65	53	41.5	41.5
5	46	50	63	64.5	63	41	30	33
6	51	49	53	62.5	65	48	32	36.5
7	46	43	47	60.5	73	59	40	33
8	43	34.5	34	51.5	66	64	44	36.5
9	40	24	22	34.5	56	63	45	32
10	34	10	8	16	24	73	40.5	31
11	−23	−1.5	−1.5	−1	−8.9	−58	−37.5	−28
12	16	0	0	0	5.5	37	33	24
13	8				0	23	24	15.5
14	5					9	13.5	11.6
15	0					0	4.5	4
16							1	1.5
17							0	0

2. 运行结果

程序开始运行出现如图 4-3 所示的操作提示。

按照操作提示，在 d:\创建一个 pjpgqd.txt 的文本文件，打开它输入数据，结果如图 4-5 所示。

关闭 pjpgqd.txt 后，选择雨量筒布设形式、输入相关参数后，点击"开始"按钮，如图 4-6 所示。

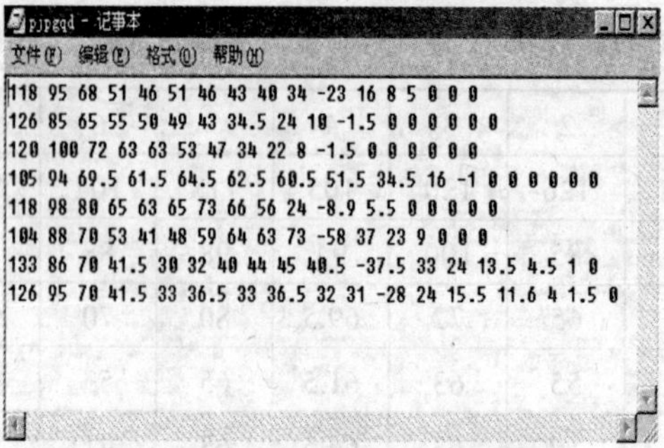

图 4-5　创建文本文件时的界面

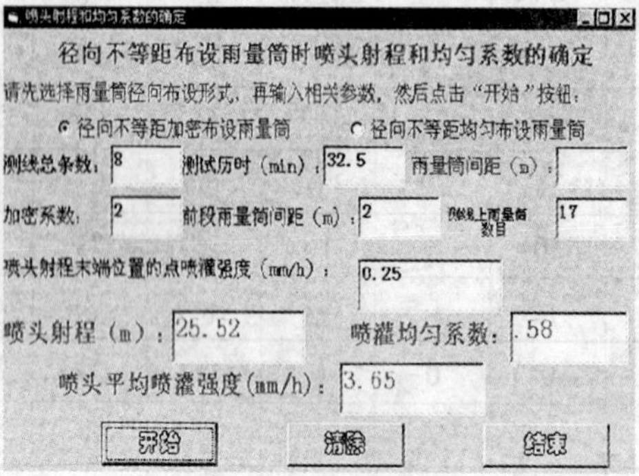

图 4-6　程序运行结果

第二节　方格法布设雨量筒时喷灌均匀系数的计算

一、计算公式

$$Cu = 1 - \frac{\Delta h}{\overline{h}} \qquad \Delta h = \frac{\sum_{i=1}^{n} S_i \left| h_i - \overline{h} \right|}{\sum_{i=1}^{n} S_i}$$

式中　Cu —— 喷灌均匀系数；

　　　$\overline{h}$ —— 喷洒水深的平均值，mm；

　　　h_i —— 某测点的喷洒水深，mm；

　　　Δh —— 喷洒水深的平均离差，mm；

　　　S_i —— 某测点所代表的面积，m^2。

二、主要标识符说明

HS —— 雨量筒行数；

LS —— 雨量筒列数；

p —— 各测点的喷洒水深值；

pm —— 整个喷灌观测计算面积上之喷洒水深的平均值；

pp —— 喷洒水深的平均离差；

三、程序说明

本程序适应如图 4-7 和图 4-8 所示的两种雨量筒布置形式，图 4-7 为雨量筒布置在方格交叉点上的形式，图 4-8 为雨量筒布置在方格的中心的形式。

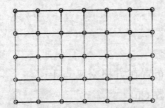

图 4-7　雨量筒布置在方格交叉点上　　图 4-8　雨量筒布置在方格的中心

四、对象设置

(一)Form1 对象设置

Form1　Caption=操作提示

Text1　text=　操作提示

  1. 在 d:\下创建一个 jyxs.txt 文本文件，然后打开它；

  2. 将实测点雨量筒承接的水量按顺序输入；

  3. 检查数据无误后保存该文件，然后点击"确定"按钮。

  注：每个数据之间用空格隔开。

Command1　　　Caption=确定

(二)Form2 对象设置

Form2　　　　　Caption=均匀系数

Label1　　　　　Caption=喷灌均匀系数的计算

Label2　　　　　Caption=请输入参数，然后选择布置形式：

Label3　　　　　Caption=雨量筒布置在方格的交叉点上

Label4　　　　　Caption=雨量筒布置在方格的中心上

Label5　　　　　Caption=雨量筒行数：

Label6　　　　　Caption=雨量筒列数：

Text1　　　　　Text=　　　' 输入雨量筒行数

Text2　　　　　Text=　　　' 输入雨量筒列数

Command1　　　Caption=清除

Command2　　　Caption=结束

(三)Form3 对象设置

Form3　　　　　Caption=雨量筒布置在方格交叉点上

Label1　　　　　Caption=均匀系数 Cu：

Text1　　　　　Text=　　' 输出均匀系数

Command1　　　Caption=计算

Command2　　　Caption=返回

(四)Form4 对象设置

Form4　　　　　Caption=雨量筒布置在方格中心

Label1　　　　　Caption=均匀系数 Cu：

Text1	Text=　　　' 输出均匀系数
Command1	Caption=计算
Command2	Caption=返回

五、对象安排

Form1 ~ Form4 对象安排如图 4-9 ~ 图 4-12 所示。

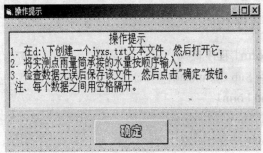

图 4-9　操作提示窗体显示

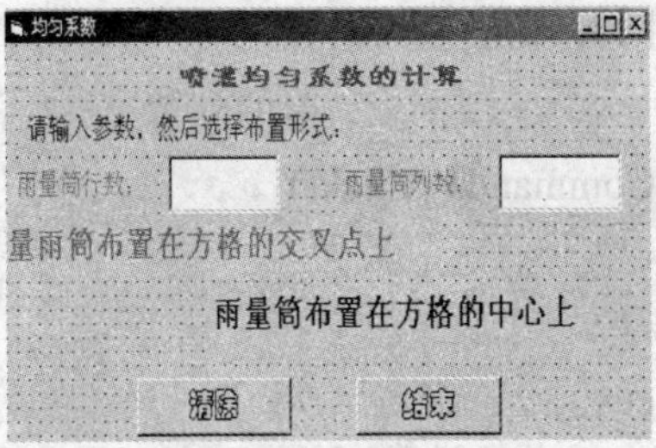

图 4-10　喷灌均匀系数计算对象安排

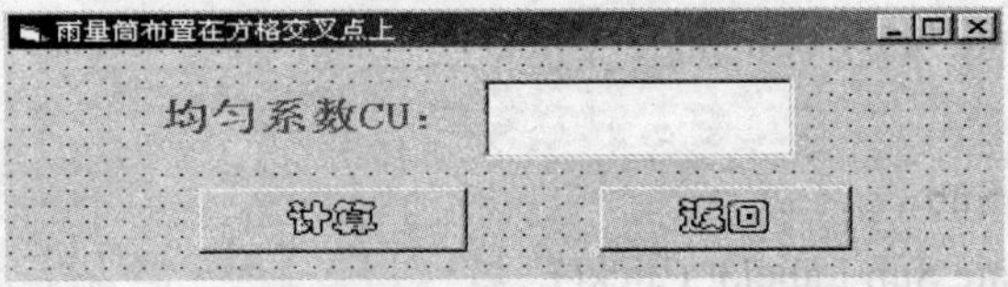

图 4-11　雨量筒布置在方格交叉点上时的对象安排

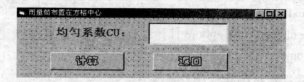

图 4-12　雨量筒布置在方格中心时的对象安排

六、程序代码

(一)Form1 程序代码

```
Private Sub Command1_Click()
Unload Form1
Form2.Show
End Sub
```

(二)Form2 程序代码

```
Public LS, HS As Integer    ' HS 为雨量筒的行数, LS 为雨量
                              筒的列数
Private Sub Command1_Click()
Text1.Text = ""
Text2.Text = ""
Text1.SetFocus
End Sub

Private Sub Command2_Click()
End
End Sub
Private Sub Label3_Click()
rcdm
```

```
If (HS <= 0 Or LS <= 0) Then
Exit Sub
End If
Unload Form2
Form3.Show
End Sub


Private Sub Label4_Click()
rcdm
If (HS <= 0 Or LS <= 0) Then
Exit Sub
End If
Unload Form2
Form4.Show
End Sub


Sub rcdm()
HS = Val(Text1.Text)
LS = Val(Text2.Text)
If (HS <= 0 Or LS <= 0) Then
        Beep
        Messag$ = "参数输入错误"
        Title$ = "错误"
        MsgBox Messag$, 48, Title$
        If (HS <= 0) Then
            Text1.Text = ""
            Text1.SetFocus
        ElseIf (LS <= 0) Then
```

```
            Text2.Text = ""
            Text2.SetFocus
            End If
        End If
        End Sub
```

(三)Form3 程序代码

```
Dim p(100, 100) As Double
Private Sub Command1_Click()
HS = Form2.HS
LS = Form2.LS
Open "d:\jyxs.txt" For Input As #1
For i = 1 To HS
For j = 1 To LS
Input #1, p(i, j)
Next j
Next i
Close #1
Form3.Cls
HS = HS – 1
LS = LS – 1
For i = 1 To HS
For j = 1 To LS
p(i, j) = (p(i, j) + p(i + 1, j) + p(i, j + 1) + p(i + 1, j + 1)) / 4
Next j
Next i
pm = 0
pp = 0
```

```
For i = 1 To HS
For j = 1 To LS
pm = pm + p(i, j)
Next j
Next i
pm = pm / HS / LS
For i = 1 To HS
For j = 1 To LS
pp = pp + Abs(p(i, j) – pm)
Next j
Next i
pp = pp / HS / LS
CU = 100 * (1 – pp / pm)
Text1.Text = Format$(CU, "###.##")
End Sub


Private Sub Command2_Click()
Unload Form3
Form2.Show
End Sub
```

(四)Form4 程序代码

```
Dim p(100, 100) As Double
Private Sub Command1_Click()
HS = Form2.HS
LS = Form2.LS
Open "d:\jyxs.txt" For Input As #1
For i = 1 To HS
```

```
For j = 1 To LS
Input #1, p(i, j)
Next j
Next i
Close #1
Form4.Cls
pm = 0
pp = 0
For i = 1 To HS
For j = 1 To LS
pm = pm + p(i, j)
Next j
Next i
pm = pm / HS / LS
For i = 1 To HS
For j = 1 To LS
pp = pp + Abs(p(i, j) – pm)
Next j
Next i
pp = pp / HS / LS
CU = 100 * (1 – pp / pm)
Text1.Text = Format$(CU, "###.##")
End Sub


Private Sub Command2_Click()
Unload Form4
Form2.Show
End Sub
```

七、应用举例

【**例 4-2**】求某喷头的喷灌均匀系数。

1. 基本资料

雨量筒行数为 9、列数为 9，布置形式如图 4-7 所示。各测点的喷洒水深值如表 4-2 所示。

表 4-2　各测点喷洒水深值

	1	2	3	4	5	6	7	8	9
1	9.6	5.1	6	4.9	4.2	5	6.1	7.4	9.4
2	8.3	6.7	6.1	4.3	4.9	5.9	7.3	7.9	7.5
3	5.8	5.2	5.7	4.9	5	6.6	6.9	5.1	6.4
4	3.4	5.6	4.8	4.1	4.7	5.3	4.3	6.2	4.8
5	5	4.7	4.3	4.3	4.7	4.3	5.8	5.5	4.8
6	6	3.4	7.8	5.8	5.5	5	5.3	6	5.4
7	6.6	6.6	7.8	5.9	5.8 ·	7	7.3	6.4	7.8
8	8.4	8.7	6.6	6.4	4.9	5.7	7	6.3	9.1
9	9.2	8.4	6.3	4.3	5	5	6.8	7.5	11.6

2. 运行结果

程序开始运行，出现如图 4-9 所示的操作提示。

按照操作提示，在 d:\创建一个 jyxs.txt 的文本文件，打开它输入数据，结果如图 4-13 所示。

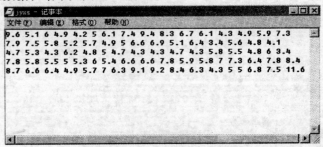

图 4-13　创建文本文件时的界面

关闭 jyxs.txt 后，输入相关参数、选择雨量筒布设形式，如图 4-14 所示。最终结果如图 4-15 所示。

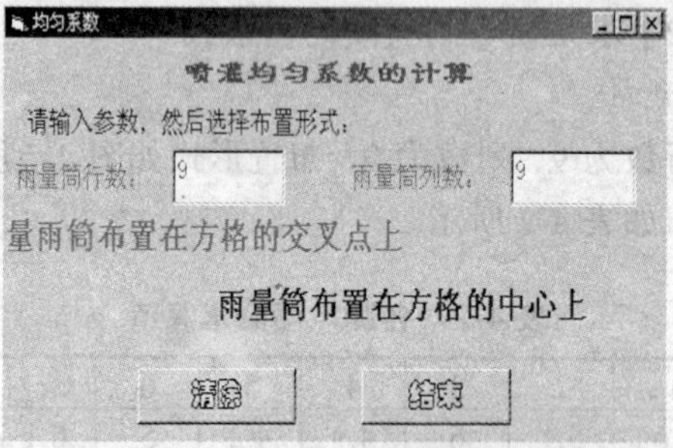

图 4-14　输入参数、选择雨量筒布设形式

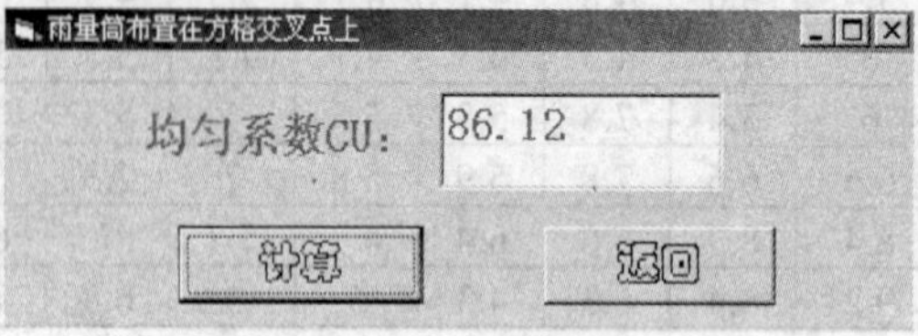

图 4-15　输出结果

第五章　不透水层有限深时
田间排水沟间距的计算

一、计算公式

(一)恒定流条件下田间排水沟间距的计算

在雨季长期降雨，由降雨入渗补给地下水的水量如果与排水沟出水量相等，则该时的地下水位达到稳定，即地下水将不随时间而变化。此时，排水沟间距应按恒定流公式进行计算。如果排水沟的沟底切穿整个透水层，称之为完整沟；但在实际情况下田间排水沟的深度一般多在 2～2.5m 以下，而透水层厚度常大于沟深，在这种情况下的排水沟为非完整沟。

1. 完整排水沟间距计算公式

完整排水沟间距

$$L = \sqrt{\frac{4k(h_c^2 + 2H_0 h_c)}{\varepsilon}}$$

式中　L——排水沟间距，m；

k——土壤渗透系数，m/d；

ε——降雨入渗强度，m/d；

H_0——沟水位至不透水层深度，m；

h_c——降雨期间排水地段中心地下水位上升高度，m。

恒定流条件下完整排水沟间距计算示意图如图 5-1 所示。

2. 非完整排水沟间距计算公式

非完整沟由于地下水流自透水层进入排水沟时发生急剧收缩，因而产生局部损失，在计算非完整沟间距时，为了考虑这一

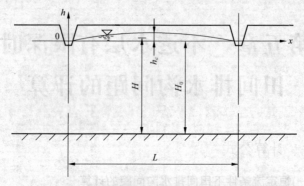

图 5-1　恒定流条件下完整排水沟间距计算示意图

附加损失，常将透水层厚度乘以一个修正系数，通过推导最后得到非完整排水沟间距的计算公式为

$$L = \sqrt{\left(\frac{4\bar{H}}{\pi}\ln\frac{2\bar{H}}{\pi D}\right)^2 + 8\bar{H}\frac{kh_c}{\varepsilon}} - \frac{4\bar{H}}{\pi}\ln\frac{2\bar{H}}{\pi D}$$

$$\bar{H} = H_0 + \frac{h_c}{2}$$

式中　　D——采用明沟时为沟内水面宽，采用暗管时为暗管直径，m；

　　　　$\bar{H}$——含水层平均厚度，m。

(二)非恒定流条件下田间排水沟间距的计算

雨季长期降雨，降雨时地下水位与沟中水位齐平。当降雨入渗补给地下水的水量大于排水沟排出的水量时，地下水位将不断上升；降雨停止后，水位开始回降，即下降的水位随时间而变化。在这种情况下，排水沟间距应按非恒定流公式进行计算。

1. 完整排水沟间距计算公式

完整排水沟间距

$$L = \pi\sqrt{\frac{k\bar{H}t}{\mu\ln\dfrac{4h_0}{\pi h_1}}}$$

式中　t——降雨停止后的任何一时间，d；

　　　h_1——降雨停止后的任何一时间 t 所要求的地下水位；

　　　h_0——降雨期间地下水位上升高度，m；

　　　μ——未饱和土壤的孔隙率。

非恒定流条件下完整排水沟间距计算示意图如图 5-2 所示。

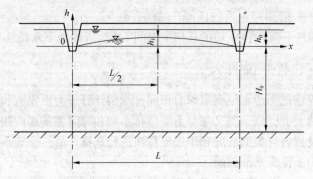

图 5-2　非恒定流条件下完整排水沟间距计算示意图

2. 非完整排水沟间距计算公式

在非完整沟的情况下对含水层厚度需用系数 α 加以修正，由于 α 的计算式中包含间距 L，因此需要采用迭代法求解

$$L = \pi \sqrt{\frac{\alpha k \overline{H} t}{\mu \ln \dfrac{4 h_0}{\pi h_1}}} \qquad \alpha = \frac{1}{1 + \dfrac{8\overline{H}}{\pi L} \ln \dfrac{2\overline{H}}{\pi D}}$$

式中　α——修正系数；

　　　其他符号意义同前。

二、主要标识符说明

k——土壤渗透系数，m/d；

hc——降雨期间排水地段中心地下水位上升高度，m；

h0——沟水位至不透水层深度，m；

e——降雨入渗强度，m/d；

L——排水沟间距，m；

d——采用明沟时为沟内水面宽，采用暗管时为暗管直径，m；

hb——含水层平均厚度，m；

u——未饱和土壤孔隙率；

t——降雨停止后的任何一时间，d；

h1——降雨停止后的任何一时间 t 所要求的地下水位。

三、程序说明

程序把不透水层有限深时田间排水沟计算分为恒定流和非恒定流两大类，每一类又细分为完整排水沟和非完整排水沟两种类型。设计者可根据情况利用选项按钮进行选择。h_0、h_1 等水位都是以沟水位为基准面的。

四、对象设置

(一)Form1 对象设置

Form1	Caption=田间排水沟间距计算
Label1	Caption=不透水层有限深时田间排水沟间距计算
Text1	Caption=恒定流条件下：
Text2	Caption=非恒定流条件下：
Option1	Caption=完整排水沟间距计算
Option2	Caption=非完整排水沟间距计算
Option3	Caption=完整排水沟间距计算
Option4	Caption=非完整排水沟间距计算
Command1	Caption=结束

(二)Form2 对象设置

Form2	Caption=恒定流条件下完整排水沟间距计算
Label1	Caption=恒定流条件下完整排水沟间距计算

Label2	Caption=请输入相应的参数,然后点击"确定"按钮:
Label3	Caption=土壤渗透系数(m/d):
Label4	Caption=两排水沟中间处地下水位上升值(m):
Label5	Caption=沟水位到不透水层的深度(m):
Label6	Caption=设计降雨入渗强度(m/d):
Label7	Caption=排水沟间距(m):
Text1	text=　　　'输入土壤渗透系数
Text2	text=　　　'输入两排水沟中间处地下水位上升值
Text3	text =　　　'输入沟水位到不透水层的深度
Text4	text =　　　'输入设计降雨入渗强度
Text5	text =　　　'输出排水沟间距
Command1	Caption=确定
Command2	Caption=清除
Command3	Caption=返回

(三)Form3 对象设置

Form3	Caption=恒定流条件下非完整排水沟间距计算
Label1	Caption=恒定流条件下非完整排水沟间距计算
Label2	Caption=请输入相应的参数,然后点击"确定"按钮:
Label3	Caption=土壤渗透系数(m/d):
Label4	Caption=两排水沟中间处地下水位上升值(m):
Label5	Caption=沟水位到不透水层的深度(m):
Label6	Caption=设计降雨入渗强度(m/d):
Label7	Caption=排水沟间距(m):
Label8	Caption=排水沟内水面宽度或暗管直径(m):
Text1	text=　　　'输入土壤渗透系数

Text2	text =	'	输入两排水沟中间处地下水位上升值
Text3	text =	'	输入沟水位到不透水层的深度
Text4	text =	'	输入设计降雨入渗强度
Text5	text =	'	输出排水沟间距
Text6	text =	'	输入排水沟内水面宽度或暗管直径
Command1	Caption=确定		
Command2	Caption=清除		
Command3	Caption=返回		

(四)Form4 对象设置

Form4	Caption=非恒定流条件下完整排水沟间距计算
Label1	Caption=非恒定流条件下完整排水沟间距计算
Label2	Caption=请输入相应的参数，然后点击"确定"按钮：
Label3	Caption=沟水位到不透水层的深度(m)：
Label4	Caption=未饱和土壤的孔隙率：
Label5	Caption=土壤渗透系数(m/d)：
Label6	Caption=降雨停止后的天数(m)：
Label7	Caption=降雨停止后要求地下水下降的深度(m)：
Label8	Caption=降雨后，从排水沟水面算起，水位上升值(m)：
Label9	Caption=排水沟间距(m)：

Text1	text=	'	输入沟水位到不透水层的深度
Text2	text =	'	输入未饱和土壤的孔隙率
Text3	text =	'	输入土壤渗透系数
Text4	text =	'	输入降雨停止后的天数

Text5	text =	' 输入要求地下水下降的深度
Text6	text =	' 输入水位上升值
Text7	text =	' 输出排水沟间距
Command1	Caption=确定	
Command2	Caption=清除	
Command3	Caption=返回	

(五)Form5 对象设置

Form5	Caption=非恒定流条件下非完整排水沟间距计算
Label1	Caption=非恒定流条件下非完整排水沟间距计算
Label2	Caption=请输入相应的参数，然后点击"确定"按钮：
Label3	Caption=沟水位到不透水层的深度(m)：
Label4	Caption=未饱和土壤的孔隙率：
Label5	Caption=土壤渗透系数(m/d)：
Label6	Caption=降雨停止后的天数(m)：
Label7	Caption=降雨停止后要求地下水下降的深度(m)：
Label8	Caption=降雨后，从排水沟水面算起，水位上升值(m)：
Label9	Caption=排水沟内水面宽度或暗管直径(m)：
Label10	Caption=排水沟间距(m)：
Label11	Caption=修正系数：
Text1	text=	' 输入沟水位到不透水层的深度
Text2	text =	' 输入未饱和土壤的孔隙率
Text3	text =	' 输入土壤渗透系数
Text4	text =	' 输入降雨停止后的天数

Text5	text =	' 输入要求地下水下降的深度
Text6	text =	' 输入水位上升值
Text7	text =	' 输入排水沟内水宽度或暗管直径
Text8	text =	' 输出排水沟间距
Text9	text =	' 输出修正系数
Command1	Caption=确定	
Command2	Caption=清除	
Command3	Caption=返回	

五、对象安排

Form1 ~ Form5 的对象安排如图 5-3 ~ 图 5-7 所示。

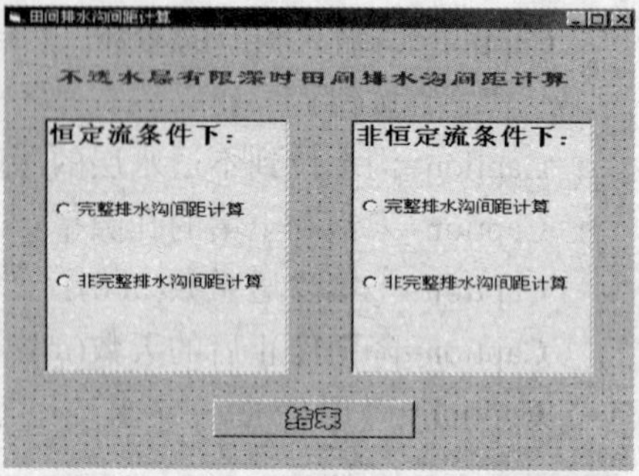

图 5-3 排水沟间距计算对象安排

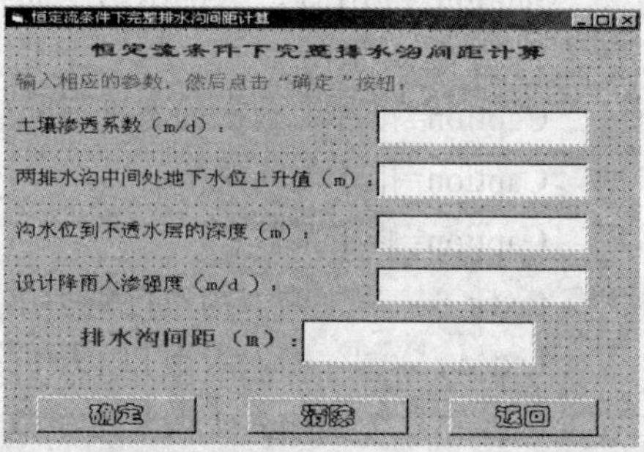

图 5-4 恒定流条件下完整排水沟间距计算对象安排

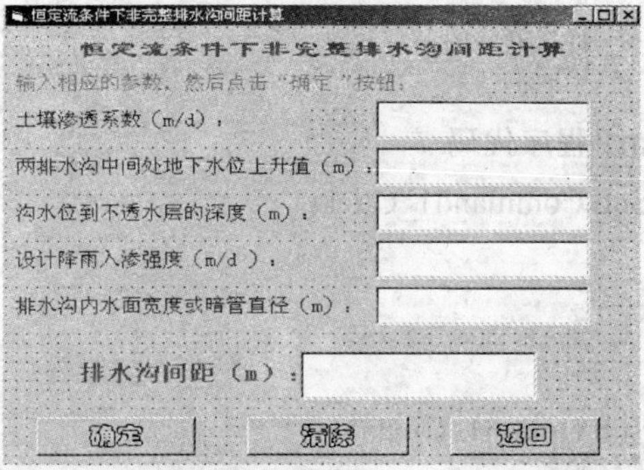

图 5-5　恒定流条件下非完整排水沟间距计算对象安排

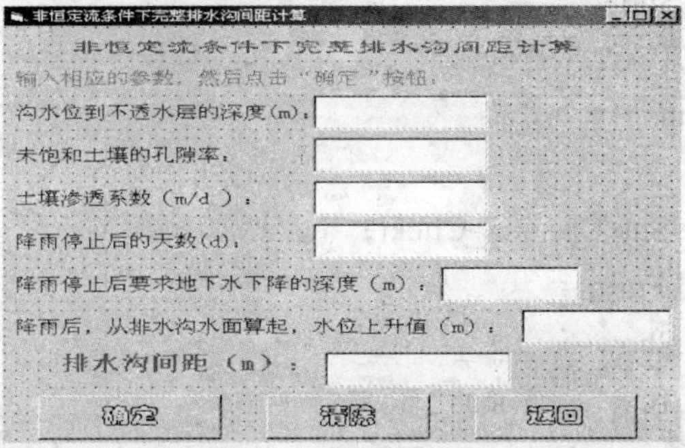

图 5-6　非恒定流条件下完整排水沟间距计算对象安排

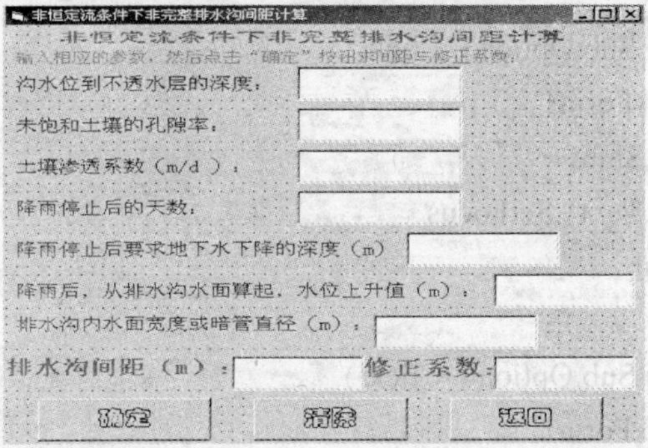

图 5-7　非恒定流条件下非完整排水沟间距计算对象安排

六、程序代码

(一)Form1 程序代码

```
Private Sub Command1_Click()
End
End Sub


Private Sub Option1_Click()
Unload Form1
Form2.Show
Form2.Text1.SetFocus
End Sub


Private Sub Option2_Click()
Unload Form1
Form3.Show
Form3.Text1.SetFocus
End Sub


Private Sub Option3_Click()
Unload Form1
Form4.Show
Form4.Text1.SetFocus
End Sub


Private Sub Option4_Click()
Unload Form1
Form5.Show
```

```
Form5.Text1.SetFocus
End Sub


(二)Form2 程序代码
Dim k, hc, h0, e, L As Double
Private Sub Command1_Click()
k = Val(Text1.Text)
hc = Val(Text2.Text)
h0 = Val(Text3.Text)
e = Val(Text4.Text)
If (k <= 0 Or hc <= 0 Or h0 <= 0 Or e <= 0) Then
            Beep
            Messag$ = "参数输入错误"
            Title$ = "错误"
            MsgBox Messag$, 48, Title$
            If (k <= 0) Then
                Text1.Text = ""
                Text1.SetFocus
            ElseIf (hc <= 0) Then
                Text2.Text = ""
                Text2.SetFocus
            ElseIf (h0 <= 0) Then
                Text3.Text = ""
                Text3.SetFocus
            ElseIf (e <= 0) Then
                Text4.Text = ""
                Text4.SetFocus
            End If
```

```
                    Exit Sub
          End If
          L = Sqr(4 * k * (hc ^ 2 + 2 * h0 * hc) / e)
          Text5.Text = Format$(L, "###.##")
          End Sub


          Private Sub Command2_Click()
          Text1.Text = ""
          Text2.Text = ""
          Text3.Text = ""
          Text4.Text = ""
          Text5.Text = ""
          Text1.SetFocus
          End Sub


          Private Sub Command3_Click()
          Unload Form2
          Form1.Show
          End Sub
```

(三)Form3 程序代码

```
          Dim k, hc, h0, d, e, L As Double
          Private Sub Command1_Click()
          k = Val(Text1.Text)
          hc = Val(Text2.Text)
          h0 = Val(Text3.Text)
          e = Val(Text4.Text)
          d = Val(Text6.Text)
```

```
If (k <= 0 Or hc <= 0 Or h0 <= 0 Or e <= 0 Or d <= 0) Then
            Beep
            Messag$ = "参数输入错误"
            Title$ = "错误"
            MsgBox Messag$, 48, Title$
            If (k <= 0) Then
                Text1.Text = ""
                Text1.SetFocus
            ElseIf (hc <= 0) Then
                Text2.Text = ""
                Text2.SetFocus
            ElseIf (h0 <= 0) Then
                Text3.Text = ""
                Text3.SetFocus
            ElseIf (e <= 0) Then
                Text4.Text = ""
                Text4.SetFocus
            ElseIf (d <= 0) Then
                Text6.Text = ""
                Text6.SetFocus
            End If
            Exit Sub
    End If
    pi = 3.1415926
    hb = (2 * h0 + hc) / 2
    xz = 4 * hb * Log((2 * hb) / (pi * d)) / pi
    zj = 8 * hb * k * hc / e
    L = Sqr(xz ^ 2 + zj) – xz
```

```
Text5.Text = Format$(L, "###.##")
End Sub

Private Sub Command2_Click()
Text1.Text = ""
Text2.Text = ""
Text3.Text = ""
Text4.Text = ""
Text5.Text = ""
Text6.Text = ""
Text1.SetFocus
End Sub

Private Sub Command3_Click()
Unload Form3
Form1.Show
End Sub
```

(四)Form4 程序代码

```
Dim L, k, u, h0, t, h1, hc As Double
Private Sub Command1_Click()
h0 = Val(Text1.Text)
u = Val(Text2.Text)
k = Val(Text3.Text)
t = Val(Text4.Text)
h1 = Val(Text5.Text)
hc = Val(Text6.Text)
If (h0 <= 0 Or u <= 0 Or k <= 0 Or t <= 0 Or h1 <= 0 Or hc <= 0)
```

```
    Then
                Beep
                Messag$ = "参数输入错误"
                Title$ = "错误"
                MsgBox Messag$, 48, Title$
                If (h0 <= 0) Then
                    Text1.Text = ""
                    Text1.SetFocus
                ElseIf (u <= 0) Then
                    Text2.Text = ""
                    Text2.SetFocus
                ElseIf (k <= 0) Then
                    Text3.Text = ""
                    Text3.SetFocus
                ElseIf (t <= 0) Then
                    Text4.Text = ""
                    Text4.SetFocus
                ElseIf (h1 <= 0) Then
                    Text5.Text = ""
                    Text5.SetFocus
                ElseIf (hc <= 0) Then
                    Text6.Text = ""
                    Text6.SetFocus
                End If
                Exit Sub
    End If
    hb = (2 * h0 + (hc - h1)) / 2
    pai = 3.1415926
```

```
h2 = hc – h1
L = pai * Sqr((k * hb * t) / (u * Log((4 * hc) / (pai * h2))))
Text7.Text = Format$(L, "###.##")
End Sub


Private Sub Command2_Click()
Text1.Text = ""
Text2.Text = ""
Text3.Text = ""
Text4.Text = ""
Text5.Text = ""
Text6.Text = ""
Text7.Text = ""
Text1.SetFocus
End Sub


Private Sub Command3_Click()
Unload Form4
Form1.Show
End Sub
```

(五)Form5 程序代码

```
Dim L, L1, L2, k, u, h0, t, d, h1, hc As Double
Private Sub Command1_Click()
h0 = Val(Text1.Text)
u = Val(Text2.Text)
k = Val(Text3.Text)
t = Val(Text4.Text)
```

```
    h1 = Val(Text5.Text)
    hc = Val(Text6.Text)
    d = Val(Text7.Text)
    If (h0 <= 0 Or u <= 0 Or k <= 0 Or t <= 0 Or h1 <= 0 Or hc <=
0 Or d <= 0) Then
                Beep
                Messag$ = "参数输入错误"
                Title$ = "错误"
                MsgBox Messag$, 48, Title$
                If (h0 <= 0) Then
                    Text1.Text = ""
                    Text1.SetFocus
                ElseIf (u <= 0) Then
                    Text2.Text = ""
                    Text2.SetFocus
                ElseIf (k <= 0) Then
                    Text3.Text = ""
                    Text3.SetFocus
                ElseIf (t <= 0) Then
                    Text4.Text = ""
                    Text4.SetFocus
                ElseIf (h1 <= 0) Then
                    Text5.Text = ""
                    Text5.SetFocus
                ElseIf (hc <= 0) Then
                    Text6.Text = ""
                    Text6.SetFocus
                ElseIf (d <= 0) Then
```

```
                    Text7.Text = ""
                    Text7.SetFocus
                End If
                Exit Sub
        End If
        hb = (2 * h0 + (hc - h1)) / 2
        pai = 3.1415926
        h2 = hc - h1
        L1 = pai * Sqr((k * hb * t) / (u * Log((4 * hc) / (pai * h2))))
        ll = L1
        For nn = 1 To 10000
        a = 1 / (1 + (8 * hb) * Log((2 * hb) / (pai * d)) / (pai * ll))
        L2 = L1 * Sqr(a)
        aa = 1 / (1 + (8 * hb) * Log((2 * hb) / (pai * d)) / (pai * L2))
        L3 = L1 * Sqr(aa)
        If Abs(a - aa) <= 0.0001 Then
        L = L1 * Sqr(aa)
        GoTo pp:
        End If
        ll = L3
        Next nn
        pp:
        Text8.Text = Format$(L, "###.##")
        Text9.Text = Format$(aa, "###.####")
        End Sub


        Private Sub Command2_Click()
        Text1.Text = ""
```

```
Text2.Text = ""

Text3.Text = ""

Text4.Text = ""

Text5.Text = ""

Text6.Text = ""

Text7.Text = ""

Text8.Text = ""

Text9.Text = ""

Text1.SetFocus

End Sub


Private Sub Command3_Click()

Unload Form5

Form1.Show

End Sub
```

七、应用举例

【例 5-1】求排水沟间距。

1. 基本资料

某多雨地区，为了控制地下水位，拟建立排水系统。若采用非完整排水沟，设计排水沟水位在地面以下 1.0 m，沟水位至不透水层深度 H_0=4.5 m，沟内水深 0.2 m，水面宽 d=0.4 m，设计降雨入渗强度为 0.02 m/d，要求在降雨期间排水地段中心地下水位上升高度不超过 0.6(即地下水位控制在地面以下 0.4 m)，土壤渗透系数为 1 m/d。

2. 运行结果

开始运行时，点击"恒定流条件下："的"非完整排水沟间距的计算"选项按钮，输入参数后，点击"确定"按钮，界面如

图 5-8 所示。

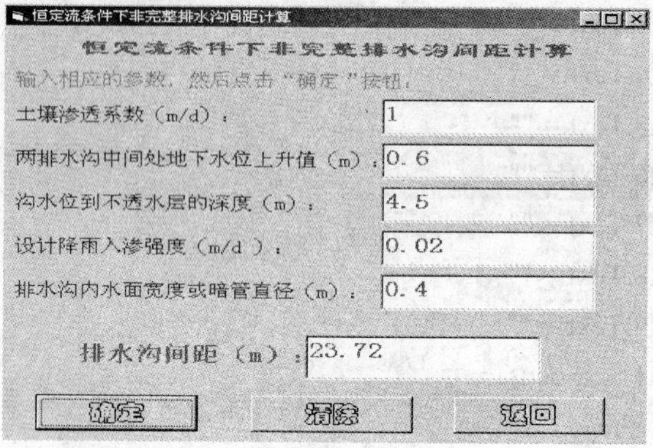

图 5-8　程序运行结果

【例 5-2】求排水沟间距。

1. 基本资料

某多雨地区，为了控制地下水位，拟建立排水系统。若采用完整排水沟，设计排水沟水位在地面以下 1.0 m，沟水位至不透水层深度 H_0=4.5 m，沟内水深 0.2 m，水面宽 d=0.4 m，设计降雨入渗强度为 0.02 m/d，要求在降雨期间排水地段中心地下水位上升高度不超过 0.6(即地下水位控制在地面以下 0.4 m)，土壤渗透系数为 1 m/d。

2. 运行结果

开始运行时，点击"恒定流条件下："的"完整排水沟间距的计算"选项按钮，输入参数后，点击"确定"按钮，界面如图 5-9 所示。

【例 5-3】求排水沟间距。

1. 基本资料

某排水地区，排水沟深 1.8 m，沟内水深 0.2 m，排水沟内水面宽度为 0.4 m。地下水位在地面以下 1.6 m 处，不透水层埋深 11.6 m。

降雨后，地下水位上升趋近于地面，降雨停止后，地下水位逐步回落。根据农作物生长要求，在降雨停止后 4 天，地下水位下降 0.4 m。土壤渗透系数为 1 m/d，未饱和土壤孔隙率为 0.05。

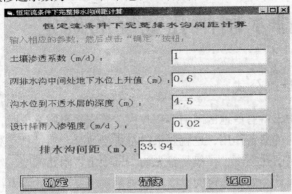

图 5-9　程序运行结果

2．运行结果

开始运行时，点击"非恒定流条件下："的"非完整排水沟间距的计算"选项按钮，输入参数后，点击"确定"按钮，界面如图 5-10 所示。

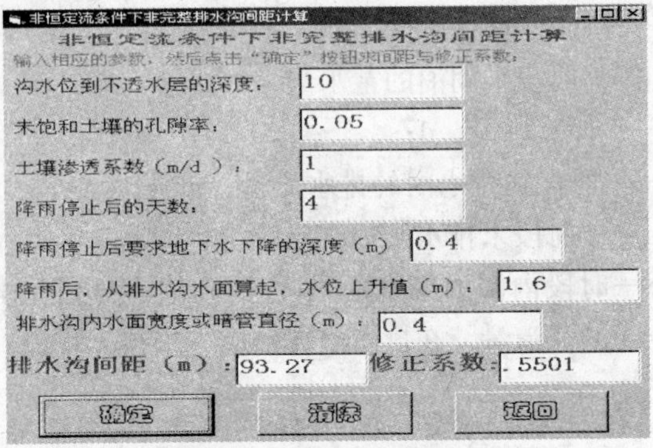

图 5-10　程序运行结果

第六章　湖泊滞蓄情况下排水闸闸孔宽度的确定

一、计算公式

长江中下游有些地区湖泊容积较大，确定排水闸宽度时，需要考虑湖泊的滞蓄作用，这就要求进行排涝演算。通过排涝演算确定排水闸闸孔宽度，一般是首先初步选项目一闸孔宽度，然后进行排涝演算，如果选定的宽度不能满足排涝要求，就需再行选定，直到满足要求为止。

当外江水位将低于湖泊蓄涝水位时，即开闸排水。抢排期间，湖泊蓄水量在Δt时段内的变化可用下列水量平衡方程式表示(略去水面蒸发)

$$\Delta V = V_j - V_{j+1} = \frac{1}{2}(Q_j + Q_{j+1})\Delta t - R \quad (j = 1, 2, \cdots, n)$$

式中　　V_j——时段初湖泊的蓄水量，m^3/s；

　　　　V_{j+1}——时段末湖泊的蓄水量，m^3/s；

　　　　Δt——计算时段，d；

　　　　Q_j——时段初排水闸的排水流量，m^3/s；

　　　　Q_{j+1}——时段末排水闸的排水流量，m^3/s；

　　　　R——时段内湖泊集水面积(包括湖泊本身)上由降雨产生的径流量，在排涝演算前应先求得。

$$Q = \varepsilon \omega Bh\sqrt{2gZ_0}$$

式中　　ε——侧收缩系数；

ω——流速系数；

B——排水闸宽度，m；

h——闸上游总水头，m；

g——重力加速度；

Z_0——闸上、下游水位差，m。

二、主要标识符说明

NR——计算时段总数；

ZR——预定的蓄涝水位；

ZQ——预定的起排水位；

ZD——闸底板高程；

DT——计算时段；

E——侧收缩系数；

G——流速系数；

B_0——闸门宽度；

R——时段内湖泊集水面积(包括湖泊本身)上由降雨产生的
　　径流量；

VZ(2，NR)——1为内湖水位；2为相应容积；

ZW——外江水位过程线；

DH——闸上、下游水位差；

Q——时段末排涝流量；

V——时段内的排水量；

VL——累积排水量；

VN——时段末湖泊蓄水量。

三、程序说明

计算式中，V_j、Q_j可根据时段初始条件确定，而时段末有V_{j+1}和Q_{j+1}两个未知数，需要试算。方法是先确定湖泊蓄涝水位(可由蓄涝演算确定)、外江水位(可由水文分析确定)，再初选或用已建的排水闸底板高程和闸孔宽度，并假定一内湖水位，以 $Q=\varepsilon\omega Bh\sqrt{2gZ_0}$ 计算过闸流量，以时段平均流量 $\frac{1}{2}(Q_j+Q_{j+1})$ 乘以计算时段(取为一天)求出时段内排水量，用排水量减去 R 求得时段末湖泊蓄水量 V_{j+1}，再从 V_{j+1} 查湖泊水位—容积曲线上查得相应于 V_{j+1} 的湖水位。若查得的水位与假定的内湖水位相等，则说明假定值正确，本时段计算结束，再对下一时段进行如上所述的试算。如此，逐时段进行演算，即可推求出开闸后排水流量及湖水位的变化过程。若计算结果，湖水位过早地降到了预定的水位，则说明闸孔宽度过大，不够经济；如果在要求时间内不能下降到预定水位，则说明闸孔过小。在这两种情况下，都必须加大或减小排水闸尺寸，并进行上述试算，直到满足要求为止。

四、对象设置

(一)Form1 对象设置

Form1　　　　Caption=操作提示

Text1　　　　text=操作提示

1. 请在 d:\下创建一个 srsj.txt 文本文件，然后打开它；
2. 输入时段内湖泊集水面积(包括湖泊本身)上由降雨产生的径流量；
3. 输入内湖水位值；
4. 输入与内湖水位相应的内湖容积值(也就是输入湖泊水位—容积曲线)；
5. 最后输入外河水位过程线；
6. 检查输入数据无误后保存该文件，点击"确定"按钮。

注：每个数据之间用空格隔开。

Command1　　　Caption=确定

(二)Form2 对象设置

Form2	Caption=排涝演算
Label1	Caption=湖泊滞蓄情况下排水闸闸孔宽度的确定
Label2	Caption=请输入相应参数，然后点击"开始"按钮：
Label3	Caption=预定时段总数：
Label4	Caption=预定蓄涝水位(m)：
Label5	Caption=预定起排水位(m)：
Label6	Caption=初始闸底板高程(m)：
Label7	Caption=计算时段(万 s)：
Label8	Caption=侧收缩系数：
Label9	Caption=流速系数：
Label10	Caption=初始闸宽(m)：
Text1	Text=　　　'输入预定时段总数
Text2	Text=　　　'输入预定蓄涝水位
Text3	Text=　　　'输入预定起排水位
Text4	Text=　　　'输入初始闸底板高程
Text5	Text=　　　'输入计算时段
Text6	Text=　　　'输入侧收缩系数
Text7	Text=　　　'输入流速系数
Text8	Text=　　　'输入初始闸宽
Command1	Caption=开始
Command2	Caption=清除
Command3	Caption=结束

五、对象安排

Form1、Form2 对象安排如图 6-1、图 6-2 所示。

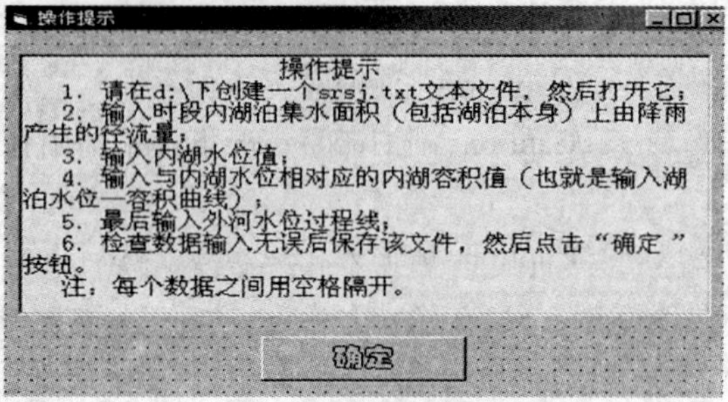

图 6-1 操作提示窗体显示

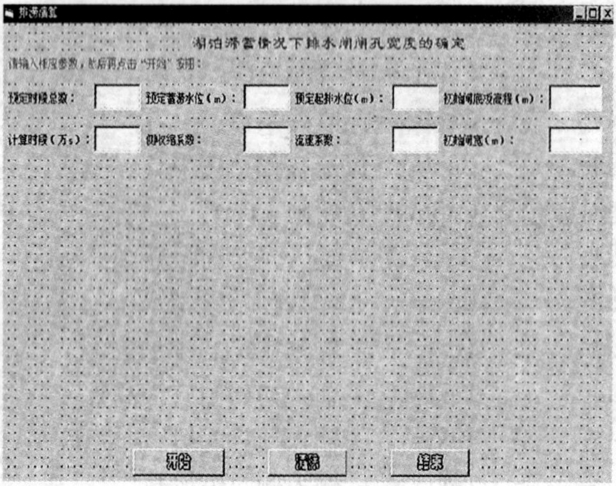

图 6-2 参数输入对象安排

六、程序代码

(一)Form1 程序代码

```
Private Sub Command1_Click()
Unload Form1
Form2.Show
```

End Sub

(二)Form2 程序代码

```
Dim NR, ZR, ZQ, ZD, DT, E, G, B0 As Double
Dim ZW(30), ZN(30), VZ(2, 30), Q(30), V(30), R(30), VL(30),
    VN(30), H(30), DH(30) As Double
Private Sub Command1_Click()
NR = Val(Text1.Text)    '  计算时段总数
ZR = Val(Text2.Text)    '  预定蓄涝水位
ZQ = Val(Text3.Text)    '  预定起排水位
ZD = Val(Text4.Text)    '  初始闸底板高程
DT = Val(Text5.Text)    '  计算时段
E = Val(Text6.Text)     '  侧收缩系数
G = Val(Text7.Text)     '  流速系数
B0 = Val(Text8.Text)    '  闸门宽度
If (NR <= 0 Or ZR <= 0 Or ZQ <= 0 Or ZD <= 0 Or DT <= 0
  Or E <= 0 Or G <= 0 Or B0 <= 0) Then
                Beep
                Messag$ = "参数输入错误"
                Title$ = "错误"
                MsgBox Messag$, 48, Title$
                If (NR <= 0) Then
                    Text1.Text = ""
                    Text1.SetFocus
                ElseIf (ZR <= 0) Then
                    Text2.Text = ""
                    Text2.SetFocus
                ElseIf (ZQ < 0) Then
```

```
                Text3.Text = ""
                Text3.SetFocus
            ElseIf (ZD <= 0) Then
                Text4.Text = ""
                Text4.SetFocus
            ElseIf (DT <= 0) Then
                Text5.Text = ""
                Text5.SetFocus
            ElseIf (E <= 0) Then
                Text6.Text = ""
                Text6.SetFocus
            ElseIf (G <= 0) Then
                Text7.Text = ""
                Text7.SetFocus
            ElseIf (B0 <= 0) Then
                Text8.Text = ""
                Text8.SetFocus
            End If
            Exit Sub
    End If
    Open "d:\srsj.txt" For Input As #1      '  注意操作提示
    For i = 1 To NR                 '  读径流量
    Input #1, R(i)
    Next i
    For i = 1 To 2
    For j = 0 To NR + 1             '  读内湖水位—容积曲线
    Input #1, VZ(i, j)
    VZ(2, j) = VZ(2, j) * 10000
```

```
Next j
Next i
For i = 1 To NR          '  读外河水位过程线
Input #1, ZW(i)
Next i
Close  #1                '  及时关闭，以免文件发生意外的
                            破坏，同时让出一些内存空间
Form2.Cls
Print: Print: Print: Print: Print: Print: Print: Print: Print: Print:
Print
Print "☆☆☆☆☆☆☆☆☆☆☆☆☆☆☆☆☆☆☆☆☆☆☆☆☆
        ☆☆☆☆☆☆☆☆☆☆☆"
b1 = 0
b2 = 0
z0 = 0.001               '  计算时，水位变化值
VL(1) = 0
Q(1) = 0
ZN(1) = ZQ
For k = 1 To NR + 1
If ZQ = VZ(1, k) Then
GoTo sqb:
End If
Next k
For k = 1 To NR + 1
If ZQ < VZ(1, k) Then
GoTo sql:
End If
Next k
```

```
sql:
z1 = VZ(1, k - 1)
v1 = VZ(2, k - 1)
z2 = VZ(1, k)
v2 = VZ(2, k)
VN(1) = (v1 * (ZQ - z2) - v2 * (ZQ - z1)) / (z1 - z2)
GoTo sjl:
sqb:
VN(1) = VZ(2, k)
GoTo sjl:
sbl:
If Abs(b1 - b2) <= 1 And b1 > b2 Then
B0 = b2
End If
If Abs(b1 - b2) <= 1 And b1 < b2 Then
B0 = b1
End If
sjl:
For i = 2 To NR
ZN(i) = ZN(i - 1) - z0 / 5
sba:
H(i) = ZN(i) - ZD
DH(i) = ZN(i) - ZW(i)
If DH(i) < 0 Then
GoTo qll:
End If
Q(i) = B0 * E * G * H(i) * Sqr(2 * 9.81 * DH(i))
V(i) = DT * (Q(i) + Q(i - 1)) / 2 - R(i)
```

```
v0 = VN(i –1) – V(i)
For j = 1 To NR + 1
If v0 = VZ(2, j) Then
GoTo w1l:
End If
Next j
For j = 1 To NR + 1
If v0 < VZ(2, j) Then
GoTo wsl:
End If
Next j
w1l:
z = VZ(1, j)
GoTo wwl:
wsl:
v1 = VZ(2, j – 1)
z1 = VZ(1, j – 1)
v2 = VZ(2, j)
z2 = VZ(1, j)
z = (z1 * (v0 – v2) – z2 * (v0 – v1)) / (v1 – v2)
wwl:
VL(i) = VL(i – 1) + V(i)
VN(i) = VN(i – 1) – V(i)
z1 = ZN(i)
ZN(i) = (ZN(i) + z) / 2
If Abs(z – z1) <= 0.005 Then          ' 0.005 为计算控制精度
GoTo lsl:
End If
```

```
GoTo sba:
lsl:
Next i
If Abs(ZN(NR) – ZR) <= 0.005 Then
GoTo bba:
End If
If ZN(NR) < ZR Then
GoTo qll:
End If
Print "应该增加闸门宽度"
B0 = B0 + 1
b1 = B0
Print "闸门宽度增加为:"; b1
GoTo sbl:
qll:
Print "应该减小闸门宽度"
B0 = B0 – 1
b2 = B0
Print "闸门宽度减小为:"; b2
GoTo sbl:
bba:
Print "最终采用闸门宽度为:"; B0
Print
Print "   No      ZW(m)      ZN(m)        DH(m)   Q(m^3/s)
            V(万 m^3)        VL(万 m^3)         R(万 m^3)
            VN(万 m^3)"
For i = 1 To NR
Print Tab(2); i; Tab(10); ZW(i); Tab(23); Int(ZN(i) * 100) /
```

```
        100;
Print Tab(36); Int(DH(i) * 100 + 0.5) / 100; Tab(49); Int(Q(i) *
        10 + 0.5) / 10;
Print Tab(65); Int(V(i)); Tab(81); Int(VL(i)); Tab(98); R(i);
        Tab(113); Int(VN(i))
Next i
End Sub


Private Sub Command2_Click()
Text1.Text = ""
Text2.Text = ""
Text3.Text = ""
Text4.Text = ""
Text5.Text = ""
Text6.Text = ""
Text7.Text = ""
Text8.Text = ""
Text1.SetFocus
Form1.Cls
End Sub

Private Sub Command3_Click()
End
End Sub
```

七、应用举例

【例 6-1】某排水闸汛期开闸抢排，要求 8 天内湖水位下降到预定水位。预定蓄涝水位为 23.98 m，预定起排水位为 24.88 m，

侧收缩系数为 0.86,流速系数为 0.95,初始闸底板高程为 19.6 m,
初始闸门宽度定为 139 m。试进行排涝演算,并确定其闸门宽度。

1. 基本资料

(1)径流量资料如表 6-1 所示。

表 6-1　径流量

时间 (月-日)	06-08	06-09	06-10	06-11	06-12	06-13	06-14	06-15	06-16
R	0	0	0	0	0	0	0	0	0

(2)湖泊水位—容积关系如表 6-2 所示。

表 6-2　湖泊水位—容积关系

水位(m)	22.60	23.24	23.60	23.85	24.09	24.27
容积(亿 m^3)	0	1	2	3	4	5
水位(m)	24.45	24.67	24.80	25.00	25.30	
容积(亿 m^3)	6	7	8	9	10	

(3)外江水位变化如表 6-3 所示。

表 6-3　外江水位变化

时间 (月-日)	06-08	06-09	06-10	06-11	06-12	06-13	06-14	06-15	06-16
水位(m)	24.88	24.85	24.73	24.58	24.38	24.20	24.05	23.95	23.98

2. 运行结果

程序开始运行出现如图 6-1 所示的操作提示。

按照操作提示,在 d:\创建一个 srsj.txt 的文本文件,打开它输入数据，结果如图 6-3 所示。

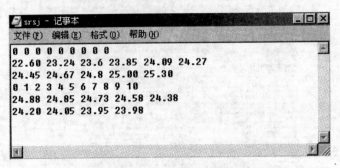

图 6-3 创建文本文件时的界面

关闭 srsj.txt 后，输入相应参数时的界面如图 6-4 所示。
点击"开始"按钮，界面如图 6-5 所示。

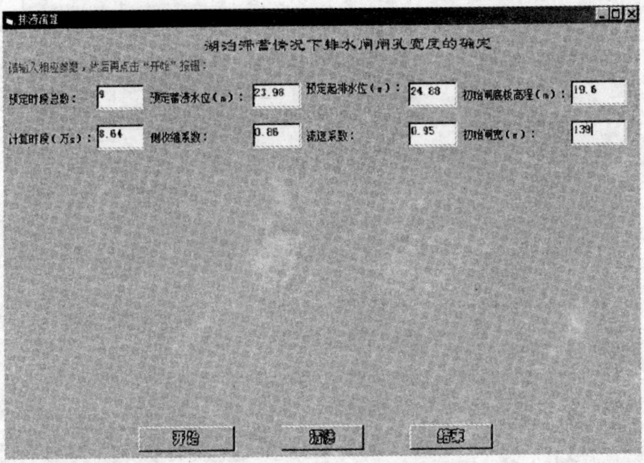

图 6-4 输入相应参数

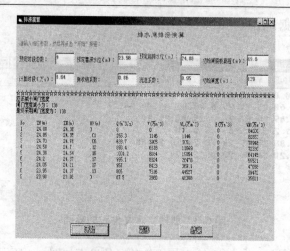

图 6-5　程序运行结果

参 考 文 献

[1]　郭元裕.农田水利学(第 2 版).北京:水利电力出版社,1985

[2]　樊惠芳.农田水利学.郑州:黄河水利出版社,2003

[3]　冯广志.水利技术标准汇编·灌溉排水卷·综合技术.北京:中国水利水电出版社,2002

[4]　冯广志.水利技术标准汇编·灌溉排水卷·节水灌溉.北京:中国水利水电出版社,2002

[5]　冯广志.水利技术标准汇编·灌溉排水卷·节水设备与材料.北京:中国水利水电出版社,2002

[6]　喷灌工程设计手册编写组.喷灌工程设计手册.北京:水利电力出版社,1988

[7]　陈学敏.喷灌系统规划设计与管理.北京:水利电力出版社,1988

[8]　罗金耀.径向不等距布设雨量筒时实测喷头平均喷灌强度的计算.喷灌技术,1987(4)

[9]　王锡赞.农田水利学.北京:水利电力出版社,1992

[10]　华东水利学院.水工设计手册·灌区建筑物.北京:水利电力出版社,1984

[11]　罗全胜,张耀先.水力计算.北京:中国水利水电出版社,2001

[12]　罗金耀.BASIC 语言农田水利程序(讲义),1988

[13]　陈大雕.PC-1500 袖珍计算机农田水利程序设计(讲义),1988

[14]　李振亭.Visual Basic 程序设计教程.北京:北方交通大学出版社,2001

[15]　许卫林.Visual Basic 程序设计.北京:电子工业出版社,1999

[16]　贺世娟.Visual Basic 6.0 程序设计.北京:中国水利水电出版社,2003

[17]　曾强聪.Visual Basic 6.0 程序设计教程.北京:中国水利水电出版社,2002

[18]　本书编委会.新编中文 Visual Basic 6.0 实用教程.西安:西北工业大学出版社, 2003

[19] 本书编委会.新编中文 Visual Basic 基础操作教程.西安:西北工业大学出版社, 2003